Berlitz®

Español

tampoco

superlatives

malisima
malisimo

bad

buenisima
buenisimo

El Alquimista
Paulo Cohelo

Subjunctive

Berlitz Languages, Inc.
Princeton, NJ
USA

ISBN 2-8315-1944-6

Cover photo
Catedral de San Francisco
La Paz, Bolivia

Fourth Printing
Printed in Canada – December 2000

Berlitz Languages, Inc.
400 Alexander Park
Princeton, NJ 08540
USA

ÍNDICE

Prólogo . . . .

Capítulo 1

Diálogo	**¡Al aeropuerto, rápido!**	1
Ejercicio 1	Preguntas sobre el diálogo	2
Gramática	Verbos reflexivos	3
Ejercicio 2	El Sr. Camejo se despierta tarde	4
Diálogo	**¿Cómo se siente?**	5
Ejercicio 3	Preguntas sobre el diálogo	6
Ejercicio 4	Ejercicio de vocabulario	7
Gramática	Subjuntivo	8
Ejercicio 5	¡Que se mejore pronto!	9
¿Qué se dice ...?	La salud	10
Repaso		11

Capítulo 2

Texto	**El diario de Lola Reyes**	13
Ejercicio 6	Preguntas sobre el texto	14
Ejercicio 7	Imperfecto	15
Ejercicio 8	¿Pretérito o imperfecto?	16
Ejercicio 9	Nos veíamos casi todos los días	17
Diálogo	**Dos fiestas en el mismo día**	18
Ejercicio 10	Preguntas sobre el diálogo	19
Ejercicio 11	El tuteo	20
Ejercicio 12	De "Ud." a "tú"	21
¿Qué se dice ...?	¿Cómo estás?	22
Repaso		23

Capítulo 3

Diálogo	**Me gustaría abrir una cuenta**	25
Ejercicio 13	Preguntas sobre el diálogo	26
Texto	**En un centro comercial**	27
Ejercicio 14	Preguntas sobre el texto	27
Ejercicio 15	Práctica del subjuntivo	28
Diálogo	**En la ruta**	29
Ejercicio 16	Preguntas sobre el diálogo	30
Ejercicio 17	Imperfecto continuo	31
Ejercicio 18	Repaso de vocabulario	32
Repaso		33

Capítulo 4

Diálogo	**Una entrevista de trabajo**	35
Ejercicio 19	Preguntas sobre el diálogo	36
Ejercicio 20	Repaso del subjuntivo	37
Ejercicio 21	Contrarios	38
Texto	**Los vinos de Jerez**	39
Ejercicio 22	Preguntas sobre el texto	40
Ejercicio 23	Formación de adverbios	41
Ejercicio 24	Expresiones	42
Repaso		43

Capítulo 5

Texto	**Latinoamérica: paraíso para aventureros**	45
Ejercicio 25	Preguntas sobre el texto	46
Ejercicio 26	Práctica del subjuntivo	47
Ejercicio 27	¿Qué tiempo hará mañana?	48
Ejercicio 28	¿Hacer, tener o estar?	49
Diálogo	**¡G-o-o-o-o-o-l!**	50
Ejercicio 29	Preguntas sobre el diálogo	51
Ejercicio 30	Repaso de preposiciones	52
Ejercicio 31	¿Cuándo empezó Ud. a estudiar español?	53
Ejercicio 32	Práctica del subjuntivo	54
Repaso		55

Capítulo 6

Texto	**El bolero: una canción con corazón**	57
Ejercicio 33	Ejercicio sobre el texto	58
Ejercicio 34	Expresiones	59
Ejercicio 35	Familias de palabras	60
Diálogo	**Juliana llama a Fernando**	61
Ejercicio 36	Preguntas sobre el diálogo	62
Ejercicio 37	¿Indicativo o subjuntivo?	63
Ejercicio 38	Crucigrama	64
Repaso		65

Capítulo 7

Diálogo	**Buscando un apartamento**	67
Ejercicio 39	Preguntas sobre el diálogo	68
Ejercicio 40	Pretérito perfecto	69
Ejercicio 41	¿Pretérito o pretérito perfecto?	70
Ejercicio 42	Expresiones	71

Texto **Las ciudades de mañana** 72
Ejercicio 43 Preguntas sobre el texto 73
Ejercicio 44 Participio como adjetivo 74
Ejercicio 45 Sinónimos 75
¿Qué se dice? Cuando se busca un apartamento 76
Repaso 77

Capítulo 8

Diálogo **Mariachis y chocolate** 79
Ejercicio 46 Preguntas sobre el diálogo 80
Ejercicio 47 Pluscuamperfecto 81
Ejercicio 48 Vocabulario 82
Texto **Dos fiestas mexicanas** 83
Ejercicio 49 Ejercicio sobre el texto 84
Ejercicio 50 Frases relativas 85
Ejercicio 51 Estilo indirecto con pluscuamperfecto 86
Repaso 87

Capítulo 9

Diálogo **Locos por las telenovelas** 89
Ejercicio 52 Preguntas sobre el diálogo 90
Ejercicio 53 La voz pasiva 91
Ejercicio 54 Diminutivos 92
Diálogo **Buscando un programa de computadora** 93
Ejercicio 55 Preguntas sobre el diálogo 94
Ejercicio 56 Infinitivo como sujeto 95
Ejercicio 57 Expresiones 96
Repaso 97

Capítulo 10

Diálogo **Las perspectivas del futuro** 99
Ejercicio 58 Preguntas sobre el diálogo 100
Ejercicio 59 El condicional 101
Ejercicio 60 Estilo indirecto con condicional 102
Ejercicio 61 Familias de palabras 103
Texto **Tiempo de Carnaval** 104
Ejercicio 62 Ejercicio sobre el texto 105
Ejercicio 63 Imperfecto del subjuntivo 106
Ejercicio 64 ¿Presente o imperfecto del subjuntivo? 107
Ejercicio 65 Juego de palabras: un buen consejo 108
Repaso 109

Capítulo 11

Texto **La yerba mate** 111
Ejercicio 66 Ejercicio sobre el texto 112
Ejercicio 67 Algún, ningún, cualquier, etc. 113
Ejercicio 68 Ejercicio de vocabulario 114
Diálogo **En el mercado de antigüedades** 115
Ejercicio 69 Preguntas sobre el diálogo 116
Ejercicio 70 Imperfecto de subjuntivo y condicional 117
Ejercicio 71 Por • para 118
Repaso 119

Capítulo 12

Diálogo **Visitando la Feria de Sevilla** 121
Ejercicio 72 Preguntas sobre el diálogo 122
Ejercicio 73 Repaso de tiempos verbales 123
Ejercicio 74 Contrarios 124
Texto **Remotas emisoras de radio en Latinoamérica** 125
Ejercicio 75 Ejercicio sobre el texto 126
Ejercicio 76 Vocabulario y expresiones 127
Ejercicio 77 Crucigrama 128
Repaso 129

Ejercicios de composición 130
Respuestas a los ejercicios 136
Tablas de conjugaciones 146
Audioprograma 168

PRÓLOGO

Este libro se ha diseñado para los alumnos de los niveles 3 y 4 de Berlitz. Se usará en conjunción con la instrucción recibida en clase.

El objetivo del programa es que el alumno adquiera habilidades prácticas de comunicación oral en el menor tiempo posible.

Integran el curso un libro y un audioprograma para el alumno, así como un manual y un libro de ilustraciones para ser usado por el profesor en clase.

De vez en cuando, el profesor asignará tarea que el alumno hará en casa.

El programa se divide en doce capítulos. Cada capítulo consiste en diálogos y lecturas, seguidos de varios ejercicios para verificar la comprensión del alumno, así como para practicar las estructuras gramaticales y a la vez ampliar su vocabulario.

Nos alegra añadir este curso a nuestro material de enseñanza y le deseamos el mayor de los éxitos en sus estudios.

CAPÍTULO

1

¡AL AEROPUERTO, RÁPIDO!

Es el lunes por la mañana y Tomás Camejo se despierta tarde.

– ¡Las nueve y cinco! ¡No puede ser! ¡El despertador no sonó!

Su vuelo para Buenos Aires sale a las diez y cuarto y aún tiene que prepararse. Tomás se ducha, se lava los dientes y se viste rápido. Después llama un taxi. El teléfono suena varias veces pero nadie contesta. ¡Son las nueve y cuarto! Por fin le contestan.

– ¿Aló? … ¡Ah, gracias a Dios! Por favor, necesito un taxi para el número 23 de la calle Caracol ahora mismo[1]! … Sí, enseguida … Para ir al aeropuerto … ¡Gracias, señor!

Tomás se pone la chaqueta y mira su reloj: ¡las diez menos veinticinco! Mira por la ventana y ve el taxi. Tomás toma sus maletas, sale de su casa y entra en el taxi.

– ¡Al aeropuerto! ¡Y dése prisa, por favor!

[1] *ahora mismo = inmediatamente*

Durante el viaje al aeropuerto Tomás mete la mano en el bolsillo para estar seguro que tiene todo lo que necesita.

– Pasaporte, dinero, pasaje ... Sí, traje todo. Bien.

Veinte minutos después, el taxi llega al aeropuerto. Tomás paga al taxista, le dice "¡Gracias!", toma sus maletas y entra enseguida a la terminal.

– ¡Ya son las diez! ¡Sólo tengo quince minutos!

En ese momento se oye el anuncio: *"Atención, atención, señores pasajeros del vuelo Iberia 533 para Buenos Aires. Este vuelo saldrá atrasado*[2]*, a las 10.45."*

[2] *atrasado = tarde*

EJERCICIO 1

1. ¿Por qué se despierta tarde el Sr. Camejo?
El despertador no sono.

2. ¿Qué hace antes de vestirse?
Tomas se ducha y se lava los dientes.

3. ¿A quién llama después de vestirse?
El llama un taxi.

4. ¿Por qué mete el Sr. Camejo la mano en el bolsillo?
El mete la mano en el bolsillo para estar seguro que tiene todo lo que necesita.

5. ¿Cuánto tiempo les llevó llegar al aeropuerto?
Las diez menos veinticinco.

6. ¿A qué hora saldrá su vuelo? Las once menos cuarto.

VERBOS REFLEXIVOS

Tomás **lava** su coche.

Tomás **se lava.**

yo	**me** lavo
Ud., él / ella	**se** lava
nosotros	**nos** lavamos
Uds., ellos / ellas	**se** lavan

(ver las tablas de conjugaciones, p. 146)

Yo **me levantaré** temprano para ir al aeropuerto.

Los niños **se sentaron** a la mesa después de lavarse las manos.

Nosotros **vamos a quedarnos** en casa estas vacaciones.

Luisa **está poniéndose** la chaqueta.

¡**Despiértese** a las ocho si quiere llegar a tiempo!

Se pone *la chaqueta.* → Se **la** pone.

EJERCICIO 2

Ejemplo: ¿Cuándo ***se afeitará*** Ud., antes o después de ducharse?

peinarse
prepararse
ponerse
quedarse
afeitarse
despertarse
acostarse
lavarse
irse
sentarse
quitarse

1. Vamos a ________ las manos antes de almorzar.
2. ¿Por qué ________ Uds. ayer en casa de Isabel hasta las 12.00?
3. ¡ ________ Uds. aquí, entre Carmela y Julia!
4. A Carlitos le gusta ________ enfrente del espejo.
5. El Sr. Salcedo está ________ para ir al aeropuerto.
6. Ayer, después de llevar a sus hijos a la escuela, Mariana ________ al trabajo.
7. Esta noche Rosa ________ temprano porque está muy cansada.
8. "¡Rápido, ya es la hora de salir!"
   – "Un momento, estoy ________ el abrigo."
9. ¡Por favor, niños, ________ los zapatos antes de entrar en la casa!
10. Ayer yo ________ muy tarde porque el despertador no sonó.

¿CÓMO SE SIENTE?

El Sr. Tomás Camejo llama al doctor.

Srta. Jiménez: Consultorio del Dr. Ortiz. Buenos días.

Sr. Camejo: Buenos días. Le habla el Sr. Camejo. No me siento muy bien y me gustaría saber si el doctor puede examinarme.

Srta. Jiménez: Déjeme ver … no tenemos nada por la mañana … ¡Ah! Veo que alguien canceló una cita para esta tarde a las tres. ¿Le parece bien?

Sr. Camejo: Sí, de acuerdo, gracias. Hasta las tres, entonces.

A las tres el Sr. Camejo entra en el consultorio del Dr. Ortiz.

Sr. Camejo: Buenas tardes, doctor.

Dr. Ortiz: Buenas tardes, Sr. Camejo. Dígame, ¿cuál es el problema?

Sr. Camejo: Estoy bastante cansado, tengo fiebre y me duele mucho la cabeza. También tengo un ligero dolor de estómago. Esta mañana me levanté temprano para ir al trabajo, pero tuve que volver a la cama enseguida.

Dr. Ortiz:	¿Y desde cuándo se siente mal?
Sr. Camejo:	Pues ... desde ayer por la noche, más o menos. No pude dormir bien durante la noche y me desperté varias veces.
Dr. Ortiz:	Y ahora, ¿se siente mejor o peor que esta mañana?
Sr. Camejo:	Peor, no quiero ni comer ni beber. Sólo quiero dormir.
Dr. Ortiz:	Vamos a ver. Quítese la camisa, por favor, para examinarlo ... también quiero tomarle la temperatura ... Hmm ... Ud. tiene bastante fiebre ... parece que tiene una gripe fuerte. Pero no se preocupe.
Sr. Camejo:	¿Qué me aconseja, doctor?
Dr. Ortiz:	Le aconsejo que se quede en cama hasta el jueves y descanse (rest). Le voy a recetar una medicina. Es importante que la tome tres veces al día, después de cada comida. Aquí tiene la receta.
Sr. Camejo:	Muchas gracias, doctor.
Dr. Ortiz:	¡Que se mejore pronto!

EJERCICIO 3

1. ¿A qué hora va el Sr. Camejo al consultorio?
   A las tres en la tarde.
2. ¿Qué le duele al Sr. Camejo?
   El tiene un dolor en su cabaza.
3. ¿Desde cuándo no se siente bien?
   ~~Hasta~~ Desde ayer por la noche.
4. ¿Pudo ir a trabajar?
   No, el no va a trabajar.
5. ¿Qué le aconseja el doctor al Sr. Camejo?
   Le aconseja que se quede en cama hasta el jueves
6. ¿Cuántas veces tiene que tomar la medicina el Sr. Camejo?
   El tiene que tomar la medicina tres veces al dia.

EL DR. Y LA SRA. ORTIZ

EJERCICIO 4

Ejemplo: Andrés Ortiz es ***médico*** y su esposa trabaja en una farmacia.

1. El ________ del Dr. Ortiz está en la calle Independencia.
2. Él es joven y moreno. Tiene barba y también ________ .
3. Sus ________ dicen que él es un ________ médico y es siempre muy simpático.
4. La esposa del Dr. Ortiz tiene el pelo largo y ________ .
5. Ella es más ________ que su esposo.
6. Algunas veces, cuando la Sra. Ortiz tiene muchas ________ que preparar, ________ en la farmacia hasta muy tarde.

bigote
buen
médico
consultorio
pacientes
rubio
se queda
recetas
baja

SUBJUNTIVO

El médico	*quiere que* el paciente **tome** la medicina. le *pide que* no **fume**. le *dice que* **se quede** en cama. le *aconseja que* no **vaya** al trabajo. *prefiere que* **vuelva** dentro de 2 días.

Es importante que **beba** mucha agua.
Es necesario que **lleve** la receta a la farmacia.
Lo mejor es que **descanse** algunos días.

¿Hasta qué hora es necesario que nosotros **esperemos** aquí?
¿Hasta qué hora es necesario **esperar** aquí?

Arturo no quiere que Uds. **vengan** con nosotros.
Arturo no quiere **venir** con nosotros.

	yo	*Ud., él, ella*	*nosotros*	*Uds., ellos, ellas*
indicativo	hablo	habla	hablamos	hablan
subjuntivo	habl<u>e</u>	habl<u>e</u>	habl<u>e</u>mos	habl<u>e</u>n
indicativo	leo	lee	leemos	leen
subjuntivo	le<u>**a**</u>	le<u>**a**</u>	le<u>a</u>mos	le<u>a</u>n
indicativo	escribo	escribe	escribimos	escriben
subjuntivo	escrib<u>**a**</u>	escrib<u>**a**</u>	escrib<u>**a**</u>mos	escrib<u>**a**</u>n

(ver las tablas de conjugaciones, p. 146)

EJERCICIO 5

Ejemplos: Quiero que Carlos **venga** hoy. *(venir)*
Quiero **acostarme** temprano. *(acostarse)*

1. Lo mejor es pagar con dinero en efectivo. *(pagar)*
2. Nuestros amigos nos recomiendan que veamos la película francesa. *(ver)*
3. El Sr. Mariño prefiere que nosotros asistamos a la reunión del martes. *(asistir)*
4. Las personas enfermas necesitan quedarse en cama. *(quedarse)*
5. Deseo que Ud. se mejore pronto. *(mejorarse)*
6. ¿Es necesario llegar a la oficina antes de las 9.00? *(llegar)*
7. Mis colegas me aconsejan que no coma en el nuevo restaurante. *(comer)*
8. ¿Qué prefiere Ud. beber con la comida? *(beber)*
9. Lo importante es que Pedro vaya a la agencia de viajes antes del martes. *(ir)*
10. Es necesario que Uds. tengan una cita para ver al médico. *(tener)*

La salud

¿Cómo se siente?
Bien / Mal.

¿Qué le pasa?
¿Le duele el estómago?
¿Qué le duele?
¿Le duele mucho? ¿Dónde?

Me duele el estómago.
Tengo dolor de estómago.
Tengo gripe / un resfriado / fiebre.

Llamen a un médico, por favor.
Tengo que ver a un médico.
¿Dónde está el hospital?

¿Me puede recetar algo para ...?
Le voy a dar esta receta.
Tómela 3 veces al día.

¿Tengo que quedarme en cama?
Tiene que descansar un poco.
¿Se siente mejor?
¡Que se mejore pronto!

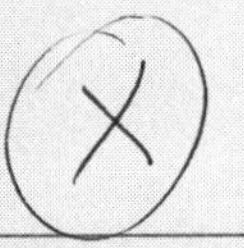

CAPÍTULO 1 – REPASO

Sustantivos:

el bigote
cepillo (de dientes)
consejo
despertador
jabón
ojo
pelo
termómetro

la barba
fiebre
pasta de dientes

Verbos:

aconsejar
dormir
levantarse

oír
recetar
sentarse

¿Qué hace Ud. cada mañana?

– Cada mañana yo me despierto a las 6.00.
me levanto
me ducho
me afeito
me peino
me visto
me voy a la oficina

¿Qué hace Ud. cada noche?

– Cada noche yo me cepillo los dientes.
me quito la ropa
me lavo la cara
me acuesto a las 10.00.

¿Qué hizo el Sr. Camejo ayer?

– Ayer el Sr. Camejo se despertó a las 7.00.
se levantó
se duchó
se afeitó
se peinó
se vistió
se fue a la oficina

¿Qué le pasa al Sr. Camejo?

– El Sr. Camejo está enfermo / cansado.
se siente mal
tiene un resfriado
tiene dolor de cabeza
estómago
garganta

¿Qué hace el médico?

– El médico examina al paciente.
le toma la temperatura
le da una receta

¿Qué quiere el Dr. Ortiz?

– El Dr. Ortiz quiere que el Sr. Camejo tome su medicina tres veces al día, se quede en casa y descanse.

¿Qué prefiere el Dr. Ortiz?

– Prefiere que el Sr. Camejo no vaya a su oficina durante tres o cuatro días y que vuelva al consultorio dentro de una semana.

¿Qué le dice el médico al Sr. Camejo?

– El médico le dice que no se preocupe.
se mejore

¿Cómo es el Sr. …?

– El Sr. … es alto / bajo.
guapo
simpático
moreno / rubio
viejo / joven

Expresiones:

¡Dese prisa, por favor!
Poco a poco se sentirá mejor.
¡Es Ud. muy amable, Sra. Reyes!
¡Déjeme ver!
¡Con mucho gusto!

CAPÍTULO

2

11 de marzo

Ayer me encontré en la calle con Isabel Castedo. Hacía más de 5 años que no nos veíamos. ¡Qué sorpresa! Estaba con un hombre de 30 años, más o menos, que yo no conocía. Se llama Luis. ¡Me dijeron que van a casarse ... en mayo! Un viejo amigo suyo los presentó el año pasado, cuando Isabel estaba en Barranquilla para pasar la Navidad y el Año Nuevo con sus parientes. Después de la boda Isabel y Luis van a mudarse a un apartamento en un barrio muy elegante de Caracas.

Recuerdo que cuando conocí[1] a Isabel, trabajábamos para el mismo periódico y ella estaba muy contenta. Yo trabajaba en una sección diferente, pero nos veíamos casi todos los días en la cafetería. También nos llamábamos a menudo e[2] íbamos al cine juntas. Era una de mis mejores

[1] conocer = aquí, encontrarse por primera vez
[2] e = y, antes de palabras que empiezan con i o hi

. Hacía
/ Estaba
conocía.
en mayo!
uando
idad y el
Isabel y
muy

ros para
/o
mos casi

amigas, pero cuando Isabel se mudó a Bogotá perdimos el contacto poco a poco ... hasta ayer. Le di mi teléfono y le dije que estaré libre este fin de semana y que me gustaría reunirme con ella.

12 de marzo
Isabel me llamó esta noche y las dos decidimos cenar juntas el sábado en el mismo restaurante donde antes cenábamos después de salir del cine. Ella quiere que Luis venga también y me preguntó si yo tenía novio ...

EJERCICIO 6

1. ¿Con quién se encontró Lola ayer?
   Ayer se encontró con Isabella Castedo.
2. ¿Cuánto tiempo hacía que ellas no se veían?
   Mas de 5 anos.
3. ¿Con quién estaba Isabel?
   Ella estaba con un hombre.
4. ¿Dónde se conocieron Isabel y su novio?
   Cuando Isabel estaba en Baranquilla
5. ¿Por qué perdieron Lola e Isabel contacto?
   Isabel se mudó a Bogota.
6. ¿Adónde decidieron ir este fin de semana?
   Decidieron cenar juntas después del cine!

IMPERFECTO

	estar	*vivir*	*tener*	*ir*	*ser*	*ver*
yo, Ud., él	esta**ba**	viv**ía**	ten**ía**	**iba**	**era**	**veía**
nosotros	est**ábamos**	viv**íamos**	ten**íamos**	**íbamos**	**éramos**	**veíamos**
Uds., ellos	esta**ban**	viv**ían**	ten**ían**	**iban**	**eran**	**veían**

(ver las tablas de conjugaciones, p. 146)

Cuando yo **era** pequeño, **iba** mucho al campo.
¿Qué **hacía** Ud. mientras ella **leía** la revista?
No **cenábamos** siempre en el mismo restaurante.

EJERCICIO 7

Ejemplo: Cuando tenía 14 años yo ***comía*** en casa.
Ahora siempre **como** en el restaurante.

1. Hace unos meses mis amigos y yo ______ al cine a menudo. Ahora, casi nunca **voy** porque no tengo tiempo.
2. Antes, ______ a trabajar a las 8. Ahora **empezamos** a las 8.30.
3. Hasta el año pasado Blanca y Alberto ______ de vacaciones en diciembre. Este año **saldrán** en agosto.
4. Todos los años, para la Navidad, le ______ una postal a Elena, pero perdí su dirección y ya no le **escribo**.
5. ¿**Se acuesta** Ud. a la misma hora que ______ cuando era estudiante?
6. Andrés me dijo que antes él ______ el Año Nuevo con sus parientes, pero que ahora prefiere **esperarlo** con sus amigos.

¿PRETÉRITO o IMPERFECTO?

EJERCICIO 8

Escriba el pretérito o el imperfecto:

Juan y Miguel **eran** *(ser)* dos amigos de 12 años. Los dos muchachos ______ *(hacerse)* buenos amigos cuando ______ *(ser)* pequeños. ______ *(vivir)* en el mismo barrio y ______ *(tener)* las mismas clases. Todas las mañanas ______ *(ir)* a la escuela juntos y ______ *(almorzar)* allí; por las tardes ______ *(encontrarse)* en la casa de uno de ellos para estudiar. Un día, después de las clases, la madre de Miguel le ______ *(preguntar)*: "¿No viene Juan hoy? ¿Dónde está?" – "No sé," le ______ *(contestar)* Miguel. "Hace una hora que ______ *(llamar)* a su casa, pero no ______ *(haber)* nadie."

A las 6.00 Miguel todavía ______ *(esperar)* a Juan. ______ *(decidir)* ir a la casa de su amigo. La casa de Juan ______ *(estar)* cerca de la casa de Miguel y ______ *(tener)* ventanas grandes en el primer piso. Miguel ______ *(mirar)* por una ventana pero no ______ *(ver)* a nadie. En ese mismo momento Juan ______ *(abrir)* la puerta y le ______ *(decir)*: "¡Miguel, adelante!"

Al entrar en la casa, Miguél ______ *(comprender)* todo. Todos sus amigos ______ *(estar)* allí y le ______ *(decir)*: "¡Feliz Cumpleaños, Miguel!"

NOS VEÍAMOS CASI TODOS LOS DÍAS

Yo conozco a Isabel. Isabel me conoce a mí.
→ Nosotros **nos conocemos.**

Marta y Juliana no **se ven** todos los días en la oficina.

Tenemos que **escribirnos** si no queremos perder contacto.

¿Cuándo **se reunieron** Uds. para hablar con el jefe?

EJERCICIO 9

- hablarse
- conocerse
- decirse
- verse
- comprarse
- **llamarse**
- ayudarse
- escribirse
- darse

Ejemplo: Ana y yo vivimos en ciudades diferentes pero ***nos llamamos*** un par de veces a la semana.

1. Hace más de dos semanas que Ud. y yo no ________ por teléfono.
2. Antes, Luis y sus primos ________ en inglés a menudo.
3. Anoche, Sara y tú ________ "¡Hola!" cuando ________ en la calle.
4. La próxima vez nosotros ________ con los ejercicios de la tarea.
5. Dentro de dos días los Sres. Montero ________ los regalos que ________ para su aniversario.
6. ¿Desde cuándo ________ Uds.?

DOS FIESTAS EN EL MISMO DÍA

Luis y Fernando son viejos amigos. En dos semanas habrá una gran fiesta en casa de Luis. Ahora, Luis llama a Fernando.

Fernando: ¿Hola?

Luis: Hola Fernando, ¿cómo estás? Soy yo, Luis.

Fernando: Hombre, Luis, ¡qué sorpresa! Hacía tiempo que no me llamabas.

Luis: Es verdad. Antes hablábamos más a menudo, pero ya sabes, últimamente estoy muy ocupado con el trabajo.

Fernando: Sí, lo entiendo.

Luis: ¿Sabes?, anoche te llamé pero no te encontré en casa.

Fernando: ¿Y por qué no dejaste recado en el contestador?

Luis: Porque quería hablar contigo y no con la máquina. Te llamaba porque quería invitarte a ti y a tu novia a una fiesta en mi casa.

Fernando: Ah, ¡qué bueno! ¿Cuándo es? ¿Cuál es la razón?[1]

Luis: Pues, será el último sábado de este mes. Isabel y yo vamos a celebrar nuestro primer aniversario de bodas.

1 *¿Cuál es la razón? = ¿Por qué?*

Fernando: Ah, ¡fantástico! Muchas gracias. Iremos con mucho placer.[2] ¿Quieres que llevemos algo de beber o de comer?

Luis: No, no. No tienen que traer nada. Mi padre me dijo que quiere comprar la comida. Ese mismo día es su cumpleaños y celebraremos las dos fiestas juntas.

Fernando: Bueno, pero entonces compraré un regalo para tu padre.

Luis: Ah, hombre, no te preocupes por eso. Será una tarde estupenda. ¡Ya verás! Vamos a tener música, baile y una torta enorme. Esperamos veinte invitados[3], más o menos.

Fernando: ¡Qué bien! Te agradecemos la invitación. ¿A qué hora quieres que estemos en tu casa?

Luis: Empezaremos a las nueve. ¿Qué te parece?

Fernando: ¡Perfecto! Estaremos allí sin falta. on time

[2] *placer = gusto*

[3] *invitado = persona que recibe una invitación*

EJERCICIO 10

1. ¿Por qué no dejó Luis un recado en el contestador? Por que el quiere hablar a Fernando y no la machina.
2. ¿Para qué volvió a llamar Luis a Fernando? Invitar el y su novia a una fiesta.
3. ¿Por qué fue esta llamada una sorpresa para Fernando? Hacia tiempo que no lo llamada.
4. ¿Qué van a celebrar Isabel y Luis el último sábado de este mes? El nuestro primer aniversario de bodas.
5. ¿De quién será el cumpleaños ese mismo día? Ese mismo dia es lo cumpleanos de el padre de luis.
6. ¿A cuántas personas invitó Luis a la fiesta? veinte invitados.

EL TUTEO

	presente	*pretérito*	*futuro*	*imperfecto*	*subjuntivo*	*imperativo*
TÚ	habla**s**	habla**ste**	hablar**ás**	hablaba**s**	habl**es**	¡Habl**a**!
	come**s**	comi**ste**	comer**ás**	comía**s**	com**as**	¡Com**e**!
	vive**s**	vivi**ste**	vivir**ás**	vivía**s**	abr**as**	¡Abr**e**!

(ver las tablas de conjugaciones, p. 146)

EJERCICIO 11

Ejemplo: ¿Por qué no me **presentaste** a tu jefe ayer? *(presentar)*

1. Aún tú ________ que mandarles las invitaciones a tus primos. *(tener)*

2. ¿Hace cuánto tiempo ________ contacto con tu amigo? *(perder)*

3. ¿Dónde ________ la Navidad cuando ________ pequeño? *(pasar; ser)*

4. Elena prefiere que tú ________ el viernes. *(volver)*

5. ¿Con quién ________ a mi fiesta la semana próxima? *(venir)*

6. Me dice Juan que tú ya no ________ en contacto con él. *(estar)*

7. Por favor, ________ lo que Armando te dijo ayer sobre mí. *(olvidar)*

8. Antes no te ________ ir al cine a menudo, pero ahora sí. *(gustar)*

9. ¿A qué hora ________ mañana? *(levantarse)*

10. Si ________ enfermo, es mejor que ________ en casa y ________.
(estar; quedarse; descansar)

EJERCICIO 12

– ¡Sr. Montero! ¿Cómo está? Hace casi un año que no lo veo. ¿Qué tal están su esposa y sus hijos?

¡Manuel! ¿Cómo estás? Hace ... un año que no te veo. Qué tal estan tu esposa y tus hijos.

– ¡Qué sorpresa, Sr. Mendoza! ¿Cómo le va? Todos estamos bien. Mis hijos ya asisten a la universidad. ¿Y los suyos?

¡Qué sorpresa, Arturo! Cómo te va? Todos estamos bien. Mis hijos ya asisten a la universidad. y los tuyos?

– Los míos aún son muy jóvenes. ¿Dónde vive Ud. ahora?

los mios aun son muy jovenes. Donde vives tu ahora.

– Hace poco nos mudamos a Cartagena. ¿No tenía Ud. un hermano allí?

(No tenias tu un hermano alli)

– Sí, mi hermano Luis. ¿Lo conoce?

Si, mi hermano Luis. Lo conoces

– Sí, ¿no recuerda que lo conocí el año pasado, un día que vino a la oficina con Ud.?

Si, no recuerdas que lo conocia el año pasado, un dia que vino a la oficina contigo.

– ¡Claro que sí! Si Ud. quiere, puedo darle su número de teléfono. Él vive en Cartagena desde hace varios años y le puede presentar a algunos de sus amigos.

Claro que si. Si tu quieres, puedo darte numero de telefono. El vive en Cartagena desde hace varios años y te puedes

– ¡Qué bien! ¡Le agradezco mucho todo esto! Me gustaría ponerme en contacto con él y también hacer nuevos amigos.

¿Cómo estás?

¡Hola!
¿Qué tal? / ¿Qué pasa?
¿Cómo estás? / ¿Cómo te va?
Hace mucho que no te veo.

¿David, conoces a Marta?
Sí, ya nos conocemos.
No, no tengo el gusto.
Me gustaría presentarte a ...
David, ésta es Marta. Marta, éste es David.

Voy a dar una fiesta en mi casa. ¿Quieres venir?
¡Cómo no!

¿Quieres ir al cine este fin de semana?
¡Claro que sí!
Te espero delante del cine.
Podemos ir juntos. ¿Qué te parece?

Ya es tarde. Tengo que irme.
¡Hasta la vista!
¡Hasta la próxima!
¡Saludos a la familia!
¡Adiós!

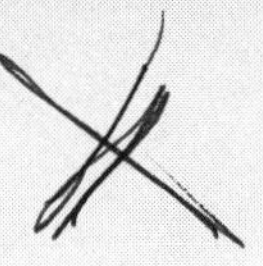

CAPÍTULO 2 – REPASO

Sustantivos:

el abuelo	la abuela
baile	boda
barrio	canción
novio	novia
tío	tía

Verbos:

acompañar	mudarse
agradecer	presentar
mandar	

¿Qué hacía Lola Reyes cuando trabajaba para el periódico?
– Salía de su casa a las 7.30.
Iba a la estación del metro.
Llegaba a la oficina a las 8.00.
Tenía reuniones con ...
Escribía artículos.
Terminaba de trabajar a las 6.00.
Volvía a su casa.

¿Por qué estaban en contacto Lola e Isabel ?
– Estaban en contacto porque trabajaban para la misma compañía y eran buenas amigas.

¿Hacían ellas muchas cosas juntas?
– Sí, ellas iban juntas al cine y también pasaban juntas el día de Navidad.

¿Quiénes son Luis y Fernando?
– Son dos jóvenes argentinos que se conocieron en una fiesta.

¿Se trataron de Ud.?
– No, se tutearon desde el primer día. Se hicieron buenos amigos.

¿De quién fue el cumpleaños ayer?
– Fue el cumpleaños de Luis, pero lo olvidé completamente.

¿Qué edad tiene?
– No recuerdo bien. Creo que tiene 26 años.

¿Por qué me llamas, Fernando?
– Te llamo porque quiero invitarte a ...
Tengo una invitación para ti.
Perdí tu dirección.
No encontré el teléfono de Isabel, pero tengo el tuyo.

Expresiones:
¡Caramba!
¡Hace siglos que no te veo!
¡Qué sorpresa!
¡Muchas felicidades!
¡Enhorabuena!
¡Buena suerte!
¡Estupendo!
¡Estaré allí sin falta!
¡Ya verás!

CAPÍTULO

3

ME GUSTARÍA ABRIR UNA CUENTA

Esta mañana Fernando León, un joven argentino, pasó por el Banco de Chile en Santiago.

Empleada:	Buenos días. ¿En qué puedo ayudarle?
Fernando:	Buenos días. Hace poco que llegué de Argentina y me gustaría abrir una cuenta corriente.
Empleada:	¡Cómo no! Necesito que Ud. me muestre su cédula de identidad. ¿Ya la tiene?
Fernando:	Sí, la conseguí ayer.
Empleada:	Muéstreme también su contrato de empleo, por favor.
Fernando:	Aquí lo tiene.
Empleada:	Muy bien. Y su dirección, ¿cuál es?
Fernando:	Calle La Viña número 84, aquí en Santiago.
Empleada:	Dígame, ¿con cuánto dinero desea abrir la cuenta?
Fernando:	Con 1.000 pesos argentinos que tengo en cheques de viajero.
Empleada:	De acuerdo. ¿Le gustaría solicitar una *Chilecard*?

Fernando: Pero, ¿qué es una *Chilecard*?

Empleada: Es una tarjeta para el cajero automático. Le permitirá hacer depósitos y retirar dinero cuando quiera, aun cuando esté cerrado el banco.

Fernando: Ah, sí, me gustaría. Tenía una tarjeta en Argentina y siempre la usaba mucho.

La empleada llenó un formulario con los datos de Fernando.

Empleada: Bien. Aquí tiene. Compruebe que todo esté bien y fírmelo, por favor. ¿Desea algo más?

Fernando: Pues sí, tengo 200 pesos argentinos que me gustaría cambiar. Quiero ir de compras cuando salga del banco.

Empleada: No hay problema, Sr. León. Pase Ud. por la caja número 2. Allí le cambiarán el dinero.

Fernando: Muchas gracias.

Empleada: De nada, señor.

EJERCICIO 13

1. ¿De dónde llegó Fernando?
2. ¿Por qué fue al banco?
3. ¿Con cuánto dinero quería abrirla?
4. ¿Qué consiguió Fernando ayer?
5. ¿Cuánto dinero trajo Fernando en pesos argentinos?
6. ¿Qué se puede hacer con una *Chilecard*?
7. ¿Qué hizo Fernando antes de firmar el formulario?
8. ¿Qué quería hacer Fernando después de salir del banco?

Al salir del banco Fernando fue al centro comercial Multicentro. Enfrente de una de las tiendas encontró este volante:

CENTRO COMERCIAL
MULTICENTRO

A minutos de su casa y en el mismo centro de la ciudad.
¡Venga de compras a la hora del día que quiera!

Aquí encontrará todo lo que Ud. necesita y a los mejores precios.

Lo más nuevo en tiendas – desde zapaterías hasta peluquerías, relojerías, librerías ... ¡y mucho más! Estamos en:

Calle General, 6
331 42 43 • 331 42 44
Estacionamiento gratis

2° piso

Foto-click
Revelamos sus fotos en una hora y, al revelar su rollo, le damos otro gratis.

Fotocopias Pergamino
Todo tipo de copias en todo tipo de papel. Ahora también a color. Mandamos y recibimos faxes. Servicio rápido.

Supermercado Comprebién
Comida de primera calidad. Nacional e internacional.

Peluquería Melenas
Peluquería para toda la familia. Cortes de pelo de todo tipo.

EJERCICIO 14

1. ¿Qué es el Multicentro?
2. ¿En qué piso está la peluquería?
3. ¿Dónde se puede mandar a revelar fotos?
4. ¿Dónde se puede encontrar comida internacional?

NO OLVIDES LLAMARME CUANDO LLEGUES

No puedo sacar dinero **hasta que** *abra* el banco.

No olvides llamarme **cuando** *llegues.*

Iremos a cenar **después de que** Susana *venga.*

Necesito pasar por el correo **antes de que** lo *cierren.*

EJERCICIO 15

Ejemplo: Empezaremos a comer. La comida estará preparada. *(cuando)*
Empezaremos a comer cuando la comida esté preparada.

1. Haremos las compras. Iremos al centro comercial. *(cuando)*
2. Alfredo y Juan nos esperarán aquí. Saldrán del cine. *(después de que)*
3. Tengo que hacer muchos recados. Mis amigos vendrán a las tres. *(antes de que)*
4. ¡No firmes el formulario! Comprueba que todo está bien. *(hasta que)*
5. Uds. se divertirán mucho. Estarán en la playa por una semana. *(cuando)*
6. ¿Quieres pasar por la panadería? La cerrarán en unos pocos minutos. *(antes de que)*
7. Será más fácil para Paula retirar dinero de su cuenta. Tendrá la tarjeta del cajero automático. *(cuando)*
8. Recuerda llamar a tu hermana. Volverá de sus vacaciones en dos días. *(después de que)*
9. Tenemos que quedarnos aquí. Ellos nos dirán cuándo podemos irnos. *(hasta que)*
10. ¡Habla con Lorenzo! Se irá de vacaciones este fin de semana. *(antes de que)*

EN LA RUTA

Al final de las vacaciones y a 100 kms. de distancia de Madrid, el joven Alfredo del Río decidió gastar su último dinero en un gazpacho bien frío, un bistec con vegetales y mucha mayonesa, y un estupendo helado de vainilla y chocolate. Entonces, tuvo que hacer autostop para volver a casa.

Después de estar Alfredo parado por hora y media en la carretera, un magnífico auto deportivo rojo se paró enfrente de él.

Alfredo: ¿Va a Madrid?

El conductor: Voy hasta Aranjuez. ¿Qué te parece?

Alfredo: ¡Fantástico!

Alfredo subió al auto y el conductor arrancó rápidamente.

Alfredo: ¡Qué buen coche! Debe de ser rápido.

El conductor: ¿Rápido? Mira aquí. *(Le indica el velocímetro.)*

Alfredo miró y vio que la velocidad estaba subiendo: 130, 140 ... Todos los coches se estaban quedando detrás. La comida de Alfredo era como una piedra en su estómago.

El conductor: ¿Qué tal? Bueno, ¿eh?

Alfredo: Sí, sí ... ¡muy bueno! ... ¡Mucho turbo! ¿Pero qué tal los frenos?

El conductor: ¿Frenos? ¡Estamos en la autopista! ¿Quién necesita frenos?

Algunos segundos después, Alfredo vio que el conductor ¡ya no estaba mirando la carretera! ¡Estaba buscando una cassette detrás de su asiento! Alfredo cerró los ojos y se dijo: "La próxima vez nada de helados y bistecs con guisantes y mayonesa. La próxima vez gastaré mi último dinero en un billete de autobús con asiento confortable y seguro."

El conductor: ¿Estupendo, eh? ¡No hay nada como la velocidad!

Alfredo: Sí, nada. Y nada mejor para la digestión.

En ese momento se oyó en la carretera un sonido bien conocido.

El conductor: ¡Oh, no!

Alfredo: ¡Oh, sí!

El conductor: ¡La policía!

La policía paró al magnífico coche deportivo rojo, y Alfredo, sin pensarlo, saltó[1] del coche. Era claro: ¡tenía que encontrar otro compañero de ruta!

[1] *saltar = aquí, salir rápidamente*

EJERCICIO 16

1. ¿A qué distancia de Madrid estaba Alfredo del Río?
2. ¿En qué decidió gastar su último dinero?
3. ¿Cuánto tiempo estuvo parado en la carretera?
4. ¿Qué tipo de coche se paró enfrente de él?
5. ¿Por qué no estaba mirando el conductor la carretera por unos segundos?
6. ¿Qué hará Alfredo la próxima vez con su último dinero?
7. ¿Por qué paró la policía al coche?
8. ¿Qué era claro para Alfredo?

IMPERFECTO CONTINUO

Cuando yo vi a José y a Eduardo, ellos **estaban entrando** en el correo.
Alberto me dijo que él no **estaba buscando** otro trabajo.
Inés **estaba escuchando** la radio mientras María **estaba mirando** la televisión.

EJERCICIO 17

Ejemplo: yo / caminar / por la calle / cuando / ver / mi amiga
Yo estaba caminando por la calle cuando vi a mi amiga.

1. cuando / Paco / hablar / con su cliente / él / recibir / una llamada

2. yo / desayunar / mientras / mi hermano / ducharse

3. Ana y Luis / estar / de compras / cuando / su primo / llegar

4. mientras / nosotros / caminar / por el parque / Sara / trabajar

5. tú / mirar / unos vestidos / cuando / la empleada / te / preguntar / si / necesitar ayuda

6. ¿qué / tú /hacer / ayer / cuando / Esteban / te / llamar?

7. Juan y yo / tomar / un aperitivo / cuando / el camarero / traer / la ensalada

8. los empleados / comer / en la cafetería / mientras / los jefes / preparar / una reunión

9. cuando / nosotros / llegar / a su casa / Ud. / no / hacer / la maleta

10. Andrés / escuchar / un disco / mientras / tú / leer / el periódico

REPASO DE VOCABULARIO

EJERCICIO 18

Ejemplo: Mi amiga y yo queremos ir de ***compras*** al nuevo centro comercial.

cajero automático
regalo
distancia
tanque
pare
camino
compras
las afueras
revelar
frenos
autopista
segura

1. El jefe no vive cerca del centro. Vive en ________ de la ciudad.
2. ¿A qué ________ del centro está tu oficina?
3. Inés y Beatriz, les agradezco mucho el ________ de cumpleaños.
4. Juan no quería ________ las fotos en esa tienda porque no le hacían descuento.
5. ¿A qué velocidad se puede conducir en la ________?
6. Para no perderse, lo mejor es que le pregunte a alguien el ________.
7. ¿Sabe Ud. dónde hay un ________? Necesito retirar dinero y el banco ya cerró.
8. Por favor, ________ ahí, en esa esquina.
9. Vamos a pasar por la estación de servicio para llenar el ________.
10. Ahora me siento más ________ en mi coche porque tiene ________ nuevos.

CAPÍTULO 3 – REPASO

Sustantivos:

el cambio
camino
conductor
fin de semana
movimiento

la autopista
carretera
entrada
fecha de nacimiento
moneda

los frenos
gastos

Verbos:

arrancar
encontrarse
hacer depósitos
indicar
parar
permitir
revelar

¿Qué recados hizo la Sra. Reyes ayer?
– Ayer, paró en la gasolinera, porque el tanque de su coche estaba casi vacío.
Fue al banco para hacer un depósito.
Mandó a reparar el radio.
Hizo las compras en un centro comercial en las afueras de la ciudad.

¿Dónde se compra(n) ...?
– La carne se compra en la carnicería.
El pan se compra en la panadería.
Las frutas se compran en la frutería.

¿Qué se hace en la ...?
– En la tintorería se limpia la ropa en seco.
En la peluquería se corta el pelo.

¿Cuándo solicitará Fernando la tarjeta del cajero automático?
– La solicitará cuando consiga su cédula de identidad.

¿Hasta cuándo no podrá la Srta. Vega usar el coche de su padre?
– No podrá usarlo hasta que ella tenga su permiso de manejar.

¿Cuándo irán Alfredo y su novia al cine?
– Irán al cine después de que terminen de cenar.

¿A qué hora hablarás con tu jefe?
– Hablaré con él a las 10.00 antes de que vaya para la reunión.

¿Qué estaba haciendo Juan cuando Susana pasó por su casa?
– Juan estaba lavando su coche cuando Susana pasó por su casa.

¿Quién estaba llenando un formulario cuando Ud. entró en el banco?
– El Sr. Camejo estaba llenando un formulario cuando entré al banco.

Expresiones:

¿A cuánto está el cambio?
Yo mismo lo hice.
¿Qué te pasó ayer?

CAPÍTULO

4

UNA ENTREVISTA DE TRABAJO

Horizontes, una compañía de Argentina que importa el jerez y otros vinos españoles, necesita emplear un contador para su sucursal en Brasil. Juliana León contestó su anuncio de empleo. Hoy se entrevista con el jefe de personal, Miguel Quintero.

Sr. Quintero: Buenos días, Srta. León. Siéntese, por favor.

Srta. León: Gracias.

Sr. Quintero: Nos dijo en su carta que Ud. trabajó en el departamento de contabilidad de una empresa en Buenos Aires. Dígame, ¿de qué se ocupaba Ud.?

Srta. León: Bueno, la compañía exportaba frutas. Yo estaba encargada de organizar los datos financieros que nos llegaban de las sucursales. Después los daba a mi jefe, y él se encargaba de analizarlos y preparar los informes.

Sr. Quintero: Hmm ... parece que era un puesto interesante. ¿Le gustaba?

Srta. León: Sí, era muy interesante. Me gustaba mucho.

Sr. Quintero: ¿Y por qué decidió buscar otro trabajo?

Srta. León: Porque me gustaría tener un puesto con más responsabilidad y con más oportunidades de usar los tres idiomas que sé.

Sr. Quintero: Ah, sí ... veo que habla portugués. Nos interesa, ya que tenemos una sucursal en Brasil y es necesario que nuestro personal sepa, o al menos comprenda, este idioma.

Srta. León: Sí, lo hablo bastante bien y también hablo inglés. Teníamos algunos clientes de Inglaterra y yo me encargaba de atenderlos.

Sr. Quintero: ¿Y cuál es su experiencia con computadoras?

Srta. León: Conozco bien Lotus 1-2-3 y Excel. También sé trabajar con Access.

Sr. Quintero: Bien, señorita, parece que Ud. tiene bastante experiencia, pero tengo que decirle que aún nos falta[1] entrevistar algunos candidatos más.

Srta. León: Cómo no, Sr. Quintero, lo entiendo.

Sr. Quintero: Muchas gracias por venir, Srta. León. Puede ser que la llamemos la semana próxima para una segunda entrevista.

Srta. León: De acuerdo. Muchas gracias, Sr. Quintero. Esperaré su decisión.

[1] *nos falta = necesitamos*

EJERCICIO 19

1. ¿Para qué puesto necesita la empresa Horizontes un empleado?

2. ¿Por qué está la Srta. León hablando con el Sr. Quintero?

3. ¿Dónde trabajaba la Srta. León antes?

4. ¿De qué estaba encargada ella en esa empresa?

5. ¿Por qué está buscando otro puesto?

6. ¿Qué experiencia tiene la Srta. León con computadoras?

7. ¿Cuándo usaba su inglés?

8. ¿Sabe la Srta. León si le van a dar el puesto? ¿Por qué?

EJERCICIO 20

Ejemplo: Espero que el cliente **mande** el fax hoy. *(mandar)*

1. ¡Ojalá que la secretaria ________ bilingüe! *(ser)*
2. ¿A quién espera Ud. que el jefe de personal le ________ el puesto? *(dar)*
3. No es posible que Verónica ________ el informe hoy. *(terminar)*
4. Marcela espera que sus colegas ________ del problema pronto. *(ocuparse)*
5. Quizás pronto nosotros ________ la respuesta de Carmen. *(tener)*
6. Puede ser que los Rivas ________ otra computadora para sus hijos. *(comprar)*
7. ¡Ojalá que yo ________ preparar toda la comida antes de la fiesta! *(poder)*
8. Es posible que las nuevas sucursales no ________ dentro de tres meses. *(abrir)*
9. ¿Puede ser que Rosa ________ antes del almuerzo? *(venir)*
10. ¡Ojalá que Felipe ________ las cartas que perdió ayer! *(encontrar)*
11. Puede ser que hoy nosotros ________ más temprano de la oficina. *(salir)*
12. ¡Quizás Lucía ________ el puesto! *(conseguir)*
13. Es posible que los nuevos vice presidentes ________ más personal. *(solicitar)*
14. ¿Cuándo es posible que Arturo y Fernando ________ a México? *(ir)*

EJERCICIO 21

Ejemplo: España ***exporta*** naranjas e **importa** petróleo.

1. Se puede **depositar** y ________ dinero sin problema con la tarjeta del cajero automático.

2. Normalmente no **me acuesto** tarde, pero por la mañana no me gusta ________ antes de las 8.00.

3. En nuestra oficina se ________ y se **reciben** muchos faxes todos los días.

4. ¿Cuándo analizará el contador los libros de **compras** y ________?

5. ¡No ________ hoy! **Quédense** un día más y así podremos visitar el museo juntos.

6. Creía que tenía una gripe **fuerte**, pero el médico me dijo que no era más que un ________ resfriado.

7. El tanque de gasolina está casi ________ y yo pensaba que estaba **lleno**.

8. La Srta. Serrano trabaja en una oficina en **el centro** pero vive en ________.

9. La ________ a la autopista está más al norte de la calle Principal que la **salida**.

10. Hasta ahora Ricardo trabajaba a **tiempo parcial** pero desde la semana próxima va a trabajar a ________.

11. Inés, no ________ que la fiesta es el viernes y **recuerda** que también es el cumpleaños de Patricia.

12. El viaje por el río no fue muy ________. Fue más **seguro** de lo que pensábamos.

LOS VINOS DE JEREZ

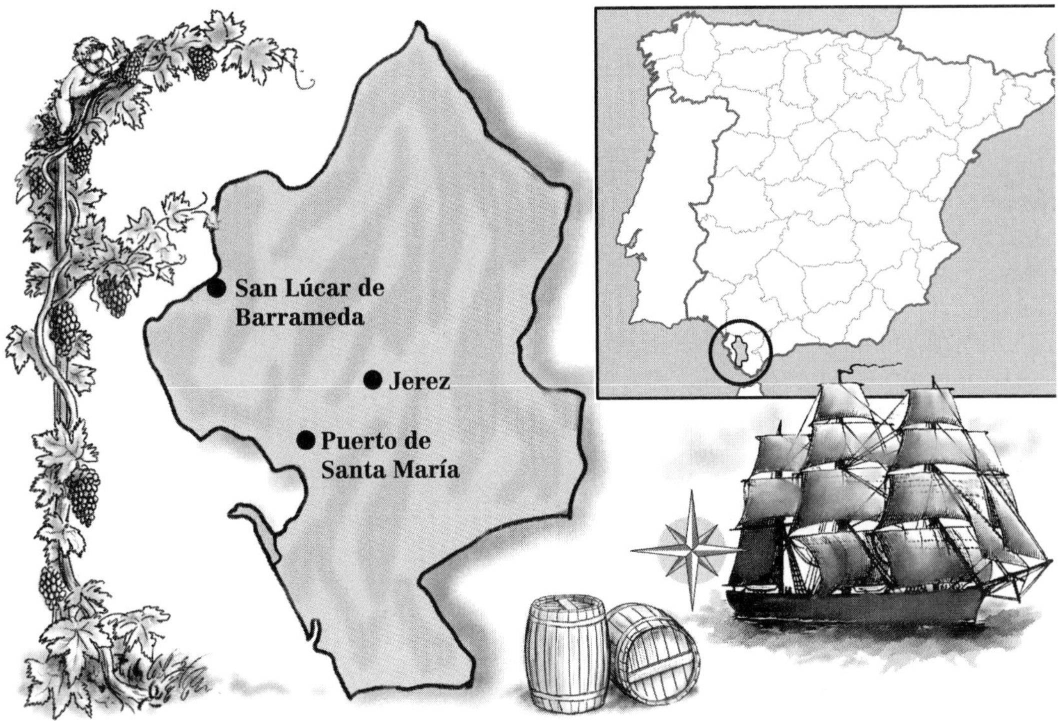

El jerez, uno de los vinos más famosos del mundo, es en realidad una familia de vinos. Los vinos jerez toman su nombre de la ciudad de Jerez en la región del sur de España donde se producen.

La palabra "jerez" viene del árabe *sherish*, el nombre original de la ciudad. Con los años el nombre español pasó a ser *Xérez* y, finalmente, Jerez.

Ya en tiempo de los romanos[1] se conocían los vinos "Ceret". En el siglo XV, unos comerciantes ingleses y holandeses empezaron a exportarlo desde el puerto de Cádiz a Europa del Norte. Cien años más tarde se consideraba el vino de moda en las capitales europeas. Y dos siglos después, esta bebida se hizo aún más popular cuando varias empresas internacionales empezaron a producirla y exportarla a más de 120 países.

En nuestro siglo, el escritor[2] norteamericano Somerset Maugham, al hablar del jerez, dijo que era "el aperitivo más civilizado del mundo".

1 *romano = habitante de Roma*

2 *escritor = persona que escribe*

Desde hace más de un siglo el jerez auténtico se produce en un triángulo de tres ciudades: Jerez, Puerto de Santa María y San Lúcar de Barrameda.

Los vinos se hacen con tres clases de uvas[3]: Palomino, Pedro Ximénez y Moscatel. La producción anual de estas uvas es de 200 millones de kilos. Las uvas producen 1.250.000 hectolitros[4] y el 85% de esta producción se usa para la exportación. El vino de Jerez es y continuará siendo uno de los vinos preferidos de todos los tiempos.

[3] *uva = fruta para hacer vino*
[4] *hectolitro = cien litros*

EJERCICIO 22

1. ¿Dónde se produce el jerez?
2. ¿De dónde viene el nombre "jerez"?
3. ¿Cuándo se empezó a exportar este vino a Europa del Norte?
4. ¿Desde dónde se exportaba?
5. ¿Con qué nombre se conocía el jerez en tiempo de los romanos?
6. ¿Qué dijo el escritor Somerset Maugham del vino jerez?
7. ¿En qué siglo se hizo esta bebida internacionalmente popular?
8. ¿Qué tipos de uvas se usan para hacer el jerez?

¡LE QUEDA PERFECTAMENTE BIEN!

Es *normal* para mí llegar al trabajo temprano.
Normal**mente** llego al trabajo temprano.

¡Sr. Rodríguez, su traje es *perfecto*!
¡Le queda perfect<u>a</u>**mente** bien!

EJERCICIO 23

Ejemplo: El informe está **correcto**. Ud. analizó todos los datos ***correctamente***.

1. ¡Ojalá que sea **fácil** conseguir ese puesto!
   – Sabes bien que no se puede conseguir ________ todo lo que queremos.

2. Ellos hicieron un viaje **rápido**. Volvieron ________ porque tenían muchas cosas que hacer.

3. Ayer fuimos a un restaurante ________ español. Pedimos un plato **típico** del sur de España.

4. ________, prefiero no discutir de eso ahora, porque es un asunto muy **personal.**

5. Para mí, el vino francés y el vino chileno son **iguales.** Me gustan los dos ________.

6. ________ no estás pasando la Navidad con tu familia. ¿Cuándo fue la **última** vez que lo hiciste?

7. La Srta. Ibarra tiene una experiencia **general** en contabilidad pero, ________ no trabaja en ese departamento.

8. ________, el Sr. Vargas terminó de leer el libro. Me dijo que el capítulo **final** fue muy interesante.

EJERCICIO 24

Ejemplo: "Hace mucho que no nos vemos, ¿verdad?"
"Sí, hace siglos."

1. "No podré ocuparme de este asunto hoy."
   ____

2. "¿Cuándo abrirá la sucursal de Lima?"
   ____

3. "Estoy aquí para la entrevista con el Sr. Montero."
   ____

4. "No me siento muy bien."
   ____

5. "Quisiera invitarlo a almorzar."
   ____

6. "¿Quiere Ud. cambiar dinero?"
   ____

7. "¡Me dieron el puesto que yo quería!"
   ____

8. "¿Quién puso los informes aquí?"
   ____

9. "No sabemos cuándo llegará la nueva procesadora de textos."
   ____

10. "¿Te gustaría cenar con nosotros esta noche?"
   ____

"Sí, con mucho gusto."

"¿Qué te duele?"

"Sí. ¿A cuánto está el cambio?"

"Es Ud. muy amable."

"Tenga la bondad de tomar asiento."

"¡Caramba, muchas felicidades!"

"Sí, hace siglos."

"No se preocupe."

"Pero, ¡Ud. mismo!"

"¡Ojalá que sea pronto!"

"Me parece que en marzo."

CAPÍTULO 4 – REPASO

Sustantivos:

el aumento (de sueldo)
candidato
comerciante
informe
mercado
producto
puerto
vendedor

la decisión
fábrica
fotocopiadora
procesadora de textos
producción anual
profesión
vendedora

los datos financieros

Verbos:

analizar
atender
considerar
copiar
emplear
exportar
importar
introducir
mandar
organizar

¿Qué hizo Juliana para conseguir el puesto de contador?
– Contestó el anuncio del periódico. Tuvo una entrevista con el jefe de personal.

¿De qué habló durante la entrevista?
– Habló de su experiencia cuando trabajaba para ...

¿Dónde es probable que trabaje Juliana?
– Es probable que trabaje en el departamento de contabilidad.

¿Dónde puede ser que trabaje Juliana?
– Puede ser que trabaje en la nueva sucursal.

¿Qué espera Juliana?
– Espera ganar un mejor sueldo y tener más responsabilidades.

¿Trabajará Juliana a tiempo parcial?
– No, trabajará a tiempo completo.

¿Dónde se produce su vino favorito?
– Se produce en España.

¿Está California en la costa este o en la costa oeste de los Estados Unidos?
– Está en la costa oeste de los Estados Unidos.

Expresiones:
Tenga la bondad de sentarse.
¡Ojalá que te den el empleo!

CAPÍTULO

5

LATINOAMÉRICA: PARAÍSO PARA AVENTUREROS

Si Ud. es un aventurero y está pensando en tomar unas vacaciones excitantes, ¿por qué no ir a Latinoamérica? Desde el mar Caribe hasta las montañas de los Andes encontrará un mundo de posibilidades.

Antes de irse de vacaciones es bueno saber la diferencia entre las estaciones del año de un país a otro. Por ejemplo, si Ud. viaja en el invierno de Estados Unidos o Europa a Chile o a la Argentina, cuando llegue allí encontrará que es el verano. Sin embargo, si viaja a los países que están cerca de la línea del ecuador, no tendrá por que preocuparse; ¡el clima en estos países es tropical todo el año!

¿Es Ud. ese tipo de aventurero a quien le gustan el mar y la playa? Entonces, las costas de México le encantarán y le permitirán hacer diferentes actividades acuáticas[1]. Centroamérica, desde Guatemala hasta Panamá, es estupendo para esos aventureros a quienes les gusta estar en contacto con la naturaleza. Se puede ir de excursión, subir a los volcanes y también viajar por las junglas; pero, ¡cuidado con los jaguares!

[1] *actividades acuáticas = bañarse en el mar, esquiar en el agua, etc.*

Si Ud. decide ir a Latinoamérica, la lista de opciones no tiene fin: subir a las montañas, esquiar a temperaturas bajo cero en los Andes de Bolivia, hacer viajes por el río Orinoco y bucear[2] entre tortugas y leones de mar en las aguas de las Islas Galápagos.

Así es que[3] si no quiere que sus vacaciones sean aburridas porque Ud. es una persona aventurera, no lo piense más — ¡vaya a Latinoamérica!

[2] *bucear = nadar debajo del agua*
[3] *así es que = pues*

EJERCICIO 25

1. ¿A qué tipo de persona le gustaría tomar las vacaciones de que se habla en este texto?

2. ¿Qué tiempo hace en Argentina cuando hace frío en Alemania?

3. ¿Qué lugar es interesante si quiere estar en contacto con la naturaleza?

4. ¿Dónde se puede esquiar en julio?

5. ¿Adónde puede ir Ud. si le gustan las actividades acuáticas?

6. ¿Qué países en Latinoamérica tienen un clima tropical todo el año?

7. ¿Dónde se necesita tener cuidado con los jaguares?

8. ¿Dónde se pueden encontrar leones de mar y tortugas?

- No creo que el autobús venga pronto.
- ¡Verdad! Dudo que esté aquí antes de que empiece a llover.
- ¡Uy! No parece que vayamos a tener buen tiempo hoy.

EJERCICIO 26

Ejemplo: No creo que mi hermano **venga** esta tarde. *(venir)*

1. No parece que nosotros ________ antes de las tres de la tarde. *(encontrarse)*
2. Hoy Francisco y yo saldremos del trabajo temprano, pero dudo que ________ por tu casa. *(pasar)*
3. Angel está enfermo, pero no pienso que ________ nada para preocuparse. *(ser)*
4. Ud. tiene que ponerse ropa elegante para ir a ese restaurante. No creo que se ________ entrar sin corbata. *(poder)*
5. Aurora no piensa que tú ________ bastante tiempo para hacer los recados. *(tener)*
6. No parece que Miguel y Eduardo ________ cerca del centro. *(vivir)*
7. Mañana los directores de varias sucursales se reunirán en Barcelona, pero no creo que ________ a discutir sobre este proyecto. *(ir)*
8. Ud. necesita el pasaporte para ir a Perú, pero dudo que ________ una visa. *(necesitar)*

¿QUÉ TIEMPO HARÁ MAÑANA?

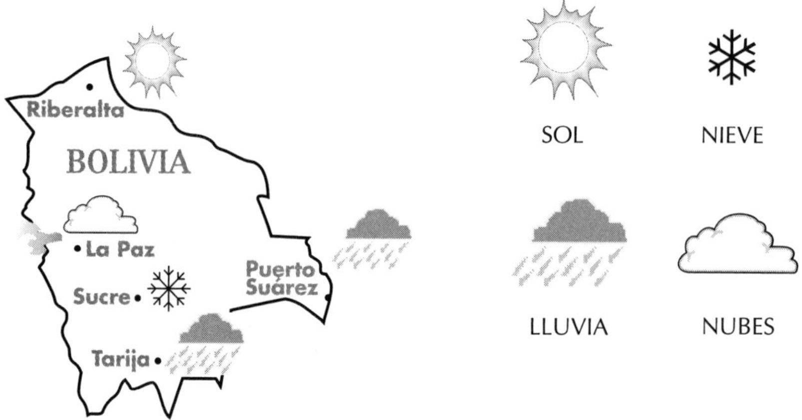

EJERCICIO 27

A. 1. ¿Cómo estará el tiempo en Riberalta?
   2. ¿Qué tiempo hará en Sucre?
   3. ¿Dónde lloverá?
   4. ¿Cómo estará el tiempo en La Paz?

lunes	*martes*	*miércoles*	*jueves*
0° C	-3° C	2° C	3° C

B. **El tiempo en los próximos cuatro días:**

El lunes va a estar _______ y con mucho _______. La *__temperatura__* no subirá a más de 0°C. El martes hará aún más _______ pero con _______. El miércoles y el jueves hará mal _______, las _______ volverán y empezará a _______ el miércoles en la mañana.

- frío
- **temperatura**
- tiempo
- nublado
- viento
- sol
- llover
- nubes

¿HACER, TENER O ESTAR?

En el Sahara **hace** calor.

Ella **tiene** calor.

El agua **está** caliente.

EJERCICIO 28

1. El pan que acabo de comprar todavía _______ caliente.
2. Si el termómetro marca 5°C o menos, es necesario usar ropa de invierno para no _______ frío.
3. A María no le gusta salir de la casa cuando _______ mucho frío.
4. Finalmente el camarero nos trajo la sopa, pero ¡_______ casi fría!
5. ¿Por qué no abres la ventana si _______ calor?
6. Cuando fuimos a España, _______ calor, pero el agua del mar todavía _______ fría.
7. ¿Sabes qué tiempo _______ mañana?
8. Después de una hora en la playa los niños _______ mucho calor y mucha sed.
9. No puedo beber este café porque _______ demasiado caliente.
10. ¡Quítate el abrigo si _______ calor!

¡G-O-O-O-O-O-L!

Los hijos de Alejandro García y Tomás Camejo juegan juntos en el equipo de fútbol de la Escuela Simón Bolívar en Caracas. Los padres acaban de encontrarse en el estadio unos minutos antes de empezar el partido.

Tomás: ¿Qué tal, Alejandro?

Alejandro: ¡Hola, Tomás!

Tomás: Hace un día estupendo para el partido, ¿verdad?

Alejandro: Maravilloso ... Por suerte, hoy tengo el día libre. Es una lástima que yo no pueda venir más a menudo a los partidos. Normalmente, tengo que trabajar los sábados.

Tomás: Pues me alegro que puedas estar aquí. Hoy juegan el penúltimo partido de la liga.

Alejandro: Sí, ¡ojalá que jueguen bien! Los muchachos entrenan sin descansar.

Tomás: Alejandro, ¿viste el partido de la semana pasada? Fue muy emocionante.

Alejandro: No, no pude venir.

Tomás: ¡Qué pena! Todo el equipo jugó de maravilla! En la segunda parte estaban perdiendo y cinco minutos antes del final marcaron dos goles.

Alejandro: Mi hijo estaba contentísimo. Pero estoy preocupado porque dudo que tengan bastante tiempo para estudiar con tantos partidos.

Tomás: No te preocupes, Alejandro. El partido final será el próximo sábado y aún les quedará casi un mes hasta que empiecen los exámenes.

Alejandro: Puede que tengas razón, Tomás ... A propósito, ¿contra qué equipo juegan hoy?

Mientras hablan, se oye el silbato del árbitro indicando el comienzo del partido.

Tomás: Contra el de la Escuela San Rafael. Tienen un equipo fantástico. Sólo perdieron tres partidos en todo el año.

Alejandro: ¿Crees que tendremos posibilidades de ganar?

Tomás: Estoy seguro que harán todo lo posible, pero no creo que sea fácil.

En este momento uno de los jugadores de la escuela de sus hijos toma posesión de la pelota.

Alejandro: ¡Mira, Tomás! ¡Va a marcar un gol ... ¡Gol! ¡G-O-O-O-L!

Tomás: ¡Fantástico!

EJERCICIO 29

1. ¿Dónde tiene lugar el partido de fútbol?
2. ¿Por qué no puede Alejandro ver los partidos algunos sábados?
3. ¿Quién vio el partido de la semana pasada?
4. ¿Por qué está preocupado Alejandro?
5. ¿Cuánto tiempo les queda a los niños hasta que empiecen los exámenes?
6. ¿Contra qué equipo juegan hoy?
7. ¿Quién no cree que sea fácil que ganen?
8. ¿Qué equipo marcó el primer gol?

EJERCICIO 30

Ejemplo: El partido comenzó __*a*__ las 3.35. Después de veinte minutos el equipo argentino marcó un gol __*contra*__ el de Inglaterra y todo el mundo se levantó __*de*__ sus asientos. *(de / contra / a)*

1. Amalia y yo esperamos _______ el final de la reunión _______ hablar con nuestro jefe _______ un asunto de exportación. *(sobre / hasta / para)*

2. Martina y su esposo organizaron una excursión _______ su familia _______ el próximo sábado. Irán _______ visitar una vieja ciudad romana _______ las afueras de la ciudad. *(a / para / con / en)*

3. Julián vivió _______ su familia _______ 21 años, hasta que empezó ________ trabajar ________ una revista internacional y se mudó a México. *(a / para / con / por)*

4. Desde que visité al doctor, ya no tengo dolor _______ estómago. El médico me recetó unas medicinas que tomé tres veces _______ día _______ una semana. *(al / por / de)*

5. _______ el cine y el café había un quiosco que vendía un poco _______ todo: libros, cigarrillos y estampillas. Todos los niños que pasaban _______ allí siempre compraban algo. *(por / entre / de)*

6. Es una lástima que el próximo partido _______ estos equipos no sea un domingo. _______ mi hijo, será _______ maravilla, pero no podré verlo porque tengo que trabajar todos los sábados. *(de / según / entre)*

¿CUÁNDO EMPEZÓ UD. A ESTUDIAR ESPAÑOL?

Empecé *a* estudiar español cuando tenía 15 años.
Seguí estudiándolo por tres años.
Dejé *de* estudiarlo por un tiempo corto.
Volví *a* estudiarlo el año pasado en la universidad.
Acabé *de* estudiarlo hace poco.

EJERCICIO 31

Ejemplo: La semana pasada José **leyó** un libro muy interesante. ***Empezó a leerlo*** *(empezar)* el jueves por la mañana y ***siguió leyéndolo*** *(seguir)* hasta las dos de la tarde. ***Dejó de leerlo*** *(dejar)* a esa hora porque tenía que ir al banco. El viernes ***volvió a leerlo*** *(volver)* por varias horas hasta que ***acabó de leerlo*** *(acabar)* esa noche.

1. Ayer **llovió** mucho. ________ *(empezar)* por la mañana y ________ *(seguir)* hasta el mediodía. ________ *(dejar)* por un par de horas y después ________ *(volver)* por la tarde otra vez. Finalmente ________ *(acabar)* temprano en la noche.

2. **Fumé** durante muchos años. ________ *(empezar)* cuando tenía 18 años. A los 25 años ________ *(dejar)* porque me enfermé, pero ________ *(volver)* dos años después y ________ *(seguir)* hasta hace seis meses. Ahora ya no fumo más.

3. Hace dos días Alfonso y Francisco tuvieron que **escribir** muchas cartas. ________ *(empezar)* las más importantes por la mañana y ________ *(acabar)* antes del almuerzo. Por la tarde ________ *(volver)* más cartas y ________ *(seguir)* hasta la noche. Por fin ________ *(acabar)* las últimas antes de la nueve.

ME ALEGRO DE QUE VENGAN

Es una lástima que no *podamos* vernos hasta el verano.
Siento que Ud. no *quiera* trabajar con nosotros.
Me alegro de que mis primos *vengan* a visitarme.
Estoy contento de que mi hijo *sea* un buen alumno.

EJERCICIO 32

Ejemplo: Es una lástima que no __**haya**__ una computadora para cada persona. *(haber)*

1. Siento que nadie ________ ayudarte con ese problema. *(poder)*

2. ¿Se alegra Ud. de que nuestro equipo ________ el partido? *(ganar)*

3. Sentimos mucho que María no ________ tiempo para venir al partido con nosotros. *(tener)*

4. Es una lástima que Alfredo y su esposa no ________ por un tiempo más largo. *(quedarse)*

5. Los niños se alegran de que su equipo ________ muchos goles. *(marcar)*

6. Estoy contenta de que tu jefe te ________ un aumento de sueldo. *(dar)*

7. Mercedes se alegra de que su familia ________ a visitarla. *(venir)*

8. Es una lástima que a Uds. no les ________ lo que compré. *(gustar)*

CAPÍTULO 5 – REPASO

Sustantivos:

el árbitro
  aventurero
  comienzo
  espectador
  estadio
  jugador
  silbato

la naturaleza
  nube
  pelota

Verbos:

caminar
comenzar
correr
entrenar
esquiar
marcar (un gol)
montar (en bicicleta)
practicar

Las estaciones del año:
la primavera, el verano, el otoño, el invierno

¿Qué tiempo hace hoy?
– Hace calor / sol.
  Hace frío / viento.
  Está nublado / lloviendo.
  Hace buen / mal tiempo.

Y ayer, ¿qué tiempo hizo?
– Ayer empezó a nevar en la mañana. Siguió nevando todo el día. Y dejó de nevar en la noche.

¿Se bañarán los Vega en el mar esta noche?
– No, no creo que los Vega se bañen en el mar esta noche.

¿Por qué no se bañarán?
– No pienso que el agua del mar esté bastante caliente para bañarse.

¿Qué deportes le interesan a Ud.?
– Me interesan el tenis y el golf.

¿Por qué se puso triste el hijo del Sr. Camejo?
– Se puso triste porque su equipo perdió el partido de fútbol.

¿De qué se alegran Uds.?
– Nos alegramos de que nuestro equipo gane el partido contra el de la liga …

¿Cómo fue la excursión a la jungla?
– ¡La excursión fue excitante!
  emocionante
  maravillosa
  buenísima

Expresiones:

A propósito, ¿a qué hora es …?
¡Cuánto me alegro!
¡Ya era hora!
Tienes razón.
¡Depende!
¡Oye, Enrique! ¿Adónde vas?
¡Qué pena!
¡Mucho cuidado!

CAPÍTULO 6

EL BOLERO: UNA CANCIÓN CON CORAZÓN

La sala de fiestas está a media luz. Una romántica canción con suave música de orquesta comienza a sonar. Es el momento para las parejas de bailar despacio, mirarse a los ojos y hablar en susurros[1]. Es el momento para bailar un bolero, la canción de amor sin igual del mundo hispánico.

El bolero moderno nació en Cuba al comienzo del siglo XX y desde allí viajó con éxito al resto del mundo hispano. Su origen más lejano es difícil de saber; puede estar siglos antes en el bolero español, una música popular que se baila con movimientos elegantes. Pero parece más probable que el danzón, un baile cubano, sea la madre del bolero. El danzón nació de la mezcla del folklore cubano con el de Haití, después de una gran emigración de haitianos a Cuba al comienzo del siglo XIX.

Sin embargo, el bolero no era solamente un fenómeno de la isla del Caribe. Otros países latinoamericanos hicieron sus contribuciones y fueron enormemente importantes para la música. Es el caso de México, que nos dio inolvidables[2] canciones como "Veracruz" y "Piensa en mí".

[1] *hablar en susurros = hablar muy bajo*
[2] *inolvidable = que no se olvida*

El bolero se hizo verdaderamente famoso entre los años 1940 y 1960 con cantantes como Lucho Gatica, Olga Guillot e incluso Nat King Cole, quien ayudó a hacerlo internacional. Pero su historia es bastante más larga y llega hasta el día de hoy.

Quizás la razón de su larga vida sea que es dulce, romántico, elegante y poético. El bolero no pasa de moda; es capaz de[3] triunfar en toda época. Su secreto: tiene corazón.

[3] *es capaz de = puede*

EJERCICIO 33

1. El bolero se baila ________.

   a) solo y rápidamente
   b) despacio
   c) en parejas, ni rápido ni despacio

2. El bolero ________.

   a) nació en Colombia
   b) llegó a México con la ayuda de Nat King Cole
   c) es una canción romántica y elegante

3. La emigración de los habitantes de Haití a Cuba empezó ________.

   a) después del siglo XVIII
   b) al final del siglo XIX
   c) antes del siglo XIX

4. El danzón ________.

   a) es una mezcla de los folklores cubano y español
   b) es probablemente la madre del bolero en América Latina
   c) nació en España

5. El bolero ________.

   a) pasó de moda entre los años 1940 y 1960
   b) se hizo famoso muy tarde en México
   c) tiene una historia larga y rica

EJERCICIO 34

Ejemplo: Los Romero no tuvieron unas vaciones muy buenas porque ***hizo mal tiempo*** casi toda la semana.

1. Este _______ Raquel pasará por el taller para recoger su coche.

2. ¿Trabaja Ud. _______ ?

3. ¿Quién _______ del departamento de ventas en la sucursal de Puerto Rico?

4. Ayer no pude ir al supermercado para _______ de la semana.

5. _______ Rolando pasa la Navidad con su familia.

6. Ramón, tú _______ . ¡El Nilo es un poco más largo que el Amazonas!

7. Si queremos llegar al partido a tiempo, tenemos que _______.

8. ¡No se preocupe, Srta. García! _______ Ud. aprenderá a usar la computadora.

9. Te dije varias veces que en esa tintorería ellos no _______ bien _______ la ropa.

10. Mañana, te presentaré a mi amigo Joaquín. Espero que Uds. _______.

limpiar en seco
darse prisa
tener razón
hacer mal tiempo
estar encargado
hacerse buenos amigos
a tiempo completo
por lo general
hacer la compra
poco a poco
fin de semana

FAMILIAS DE PALABRAS

EJERCICIO 35

Ejemplo: Es claro que tu coche necesita ***frenos*** nuevos inmediatamente. Oigo un sonido muy fuerte cada vez que **frenas**.

1. ¡Qué lindo tienes el _______! ¿Fuiste a la **peluquería**?

2. El mecánico _______ mi coche mañana. Espero que esta vez la **reparación** no sea muy cara.

3. Claudia, hoy te **despertaste** muy tarde. ¿No sonó tu _______?

4. El médico dijo que quería **recetarme** una medicina diferente, pero olvidó darme la _______.

5. El empleado de la gasolinera nos _______ cómo entrar a la autopista, pero nos perdimos porque sus **indicaciones** no fueron muy buenas.

6. El sábado fuimos a la playa. Hizo _______ tiempo y la temperatura del agua estaba **buenísima**.

7. Este dúo **canta** muy bien, especialmente las _______ románticas.

8. Antes de **salir** de la oficina necesito que me digas qué _______ de la autopista es la mejor para llegar a tu casa.

9. A mi esposo le gusta **mezclar** agua mineral y jugo de naranja, pero a mí no me gusta ese tipo de _______.

10. ¿De qué _______ Augusto en su empresa? Siempre está muy **ocupado** y nunca tiene tiempo libre para reunirse con nosotros.

11. Aún me _______ la garganta, pero ya no tengo **dolor** de cabeza.

12. Es probable que el Sr. Gutiérrez _______ a otra secretaria. ¡Ojalá que le den el **empleo** a Carmen!

JULIANA LLAMA A FERNANDO

Juliana León acaba de mudarse a Río de Janeiro, en Brasil. Ahora llama a su hermano Fernando por teléfono.

Fernando: ¿Hola?

Juliana: ¡Hola Fernando! Soy Juliana. No sabía si te iba a encontrar en casa.

Fernando: ¡Juliana! ¡Qué sorpresa! ¿Cómo estás?

Juliana: Bien. ¿Y tú?

Fernando: Bien. Pero dime, ¿de dónde estás llamando? ¿Ya te mudaste?

Juliana: Sí, hace un par de días que me mudé.

Fernando: Pero hace bastante tiempo que ni escribes ni llamas.

Juliana: Discúlpame, pero estoy tan ocupada con la mudanza que no tengo tiempo para nada. Aún tengo todo en cajas.

Fernando: Espero que alguien pueda ayudarte a poner las cosas en su lugar.

Juliana: ¡Oh, sí! Esta mañana le pedí ayuda a Isabel, mi vecina. Nos conocimos en el ascensor. Es una muchacha muy simpática.

Fernando: ¿Isabel? Hmm ... Dime más ... ¿cuántos años tiene?

Juliana: Ay, Fernando. ¡Qué simpático que te interese mi vecina! Fíjate que es de tu misma edad y, ¡no tiene novio! La conocerás cuando vengas de vacaciones. Ya le hablé mucho de ti.

Fernando: Espero que sólo lo bueno ... ¿Y qué más? ¿Te gusta Río de Janeiro?

Juliana: ¡Oh, sí! Es una ciudad maravillosa. Me encantan sus calles y sus playas. Cuando vengas, te mostraré todo.

Fernando: Parece que te encanta.

Juliana: ¡Y cómo! Pero aún no la conozco bien. Todavía tengo que llevar un plano cuando salgo para no perderme ... Bueno, Fernando, tengo sueño y quiero dormir. Ahora te dejo. Dale saludos al resto de la familia cuando les hables.

Fernando: Claro, Juliana. Gracias por llamar. Y no te olvides de escribir de vez en cuando.

Juliana: Sí, sí, Fernando, prometo escribirte. ¡Hasta luego!

EJERCICIO 36

1. ¿Cuánto tiempo hace que Juliana se mudó a Río de Janeiro?

2. ¿Por qué ni escribe ni llama Juliana a su familia últimamente?

3. ¿Cuándo conocerá Fernando a Isabel?

4. ¿Por qué tiene Juliana que llevar un plano de Río de Janeiro cuando sale?

5. ¿Qué hará Juliana cuando Fernando la visite?

6. ¿Qué le promete Juliana a Fernando?

EJERCICIO 37

Ejemplo: Me dijo Ismael que Elvira y Margarita ***se mudarán*** el mes próximo. Después de que ***se muden*** iré a visitarlas. *(mudarse)*

1. Es una lástima que Ud. no _______ bien. Estoy seguro que mañana _______ mejor. *(sentirse)*

2. ¿Cuántas personas crees que _______ mañana a la reunión? Dudo que _______ más que la semana pasada. *(asistir)*

3. No parece que ellos _______ acompañarnos al restaurante mañana, pero estoy seguro que _______ acompañarnos al cine. *(poder)*

4. Ayer y anteayer _______ mal tiempo. Espero que en el fin de semana _______ buen tiempo. *(hacer)*

5. ¿Cuánto tiempo hace que Uds. no _______? Es importante que _______ más a menudo. *(escribirse)*

6. Mi colega quiere que él y yo _______ esta tarde. _______ en su oficina a las 3.00. *(reunirse)*

7. Tú siempre nos pides que _______ temprano. ¿Es posible _______ un poco más tarde de vez en cuando? *(volver)*

8. Todavía no se puede decir si la producción de este año _______ mejor que la del año pasado. Quizás _______ más o menos igual. *(ser)*

9. ¿Qué deportes te _______ más cuando tenías 18 años? No creo que ahora te _______ los mismos deportes. *(interesar)*

10. No ________ nada en los anuncios del periódico de ayer. ¡Ojalá que _______ algo hoy! *(encontrar)*

EJERCICIO 38

1	2	3	4	5			6	7	■	8	9	
10					■	■	11		■	12		■
13					14	■	15					
■	■		■	■	16	17			■	■	■	■
■	■	■	■	■	18		■	19	20		21	
■	22	23	24	25			■	26		■		■
■	27				■	28						■
■	29				30		■	■		■	■	■
31		■		■		■	32				33	■
34							■	35		■		■

Horizontales

1. Esta autopista es muy ____.
8. ¿Qué es ____?
10. Raúl es mi mejor ____.
11. ____ lunes va a nevar.
12. ¿En qué equipo juega ____ hijo?
13. Es un buen ____ de cumpleaños.
15. ¿Dónde está el ____ automático?
16. Espero que ellos d-____ la verdad.
18. Iniciales de Gustavo Álvarez
19. ¡Niños, ____ prisa. Es muy tarde!
22. Ellos son ____. Pronto se casarán.
26. ____ y ella
27. ____ hizo sol, pero hoy no.
28. Practico ____ deportes como tú.
29. ¡Muchas gracias! – ____ ____.
31. ____ llueve, no iremos al parque.
32. Es mejor que Uds. ____ al banco ahora.
34. Mandé a ____ mi coche.
35. ____ importante es llegar a tiempo.

Verticales

1. Compré un ____ de zapatos negros.
2. "M": Ésta es la letra ____.
3. Hoy es el último partido de ____.
4. S-____ derecho por esta calle.
5. ¿Quién marcó el ____?
6. Contrario de *mojada*
7. Ese tren llega ____ ____ número 5.
8. Este libro aquí y ____ libro allí.
9. Norte, ____, este y oeste
14. ¿Oye algo? – No, yo no ____ nada.
17. Leonor ____ todo su dinero.
20. El mío, ____ ____
21. ¿Son estos ____ hijos, Sr. Ortega?
22. Contrario de *alguien*
23. Habla muy alto porque no ____ bien.
24. Antes, Ud. ____ más a menudo.
25. ¿Te gustaría ____ ____ la fiesta?
30. Contrario de *noche*
31. El ____ y la Sra. García.
33. No tengo ni frío ____ calor.

CAPÍTULO 6 – REPASO

Sustantivos:
el movimiento la luz
secreto parte

Verbos:
mojarse prometer

¿Por qué hace tanto tiempo que Juliana ni escribe ni llama?
– Juliana ni escribe ni llama porque está muy ocupada con la mudanza.

¿Sabía Fernando que Juliana ya estaba en Río de Janeiro?
– No, Fernando no lo sabía.

¿Cuándo conocerá Fernando a Isabel?
– La conocerá cuando vaya de vacaciones a Río de Janeiro.

¿Qué dice Fernando que debe hacer Juliana?
– Dice que Juliana debe escribirle más a menudo.

¿Trasladan en su compañía a algunos de los empleados?
– Sí, los trasladan a diferentes lugares.

¿Qué le gustaría hacer durante sus próximas vacaciones?
– Me gustaría visitar un país lejano.

¿Llovió mucho ayer?
– Sí, llovió la mayor parte del día.

¿Por qué estabas tan mojado cuando llegaste a la oficina?
– Estaba tan mojado porque dejé mi impermeable y mi paraguas en el coche.

¿Se oye todavía esta música en Cuba?
– ¡Claro que sí! ¡Nunca pasa de moda!

Expresiones:
Estoy a punto de terminar el libro.
¡Discúlpame!
¡Fíjate que trabajamos juntos!
¡Anda! ¿De verdad?
Ahora te dejo, Fernando.

CAPÍTULO 7

BUSCANDO UN APARTAMENTO

19 APARTAMENTOS ALQUILER

ALQUILO APTO. Cerca metro Plaza Venezuela. 2 dormitorios, teléfono, tres meses depósito. Informes 761.3401

ALQUILO ESPECTACULAR apartamento, Altamira, muy céntrico, 2 dormitorios, 1 baño, comedor, cocina. 542.9060

ALQUILO VARIOS APARTAMENTOS de 1 a 5 dormitorios. La Florida, Castellana, Altamira, Los Chorros, Miranda. 282.8996

CASABLANCA TERRAZAS del Avila alquila apartamento. 3 dormitorios, 2 baños, cocina, 2 estacionamientos. Bs. 130.000. Informes 238.5864

LOS SAMANES, CÓMODO, bello apartamento, planta baja, 2 dormitorios, 170 m^2, balcón, edificio con gimnasio. 482.7377, 482.5814

ALQUILO APARTAMENTO. Palos Grandes, dos dormitorios, baño, 2do piso, estacionamiento. 986.5121

Cristina Salinas y Pedro Quevedo, dos jóvenes venezolanos, han fijado la fecha para su boda. Quieren encontrar un apartamento que sea conveniente, y por eso, Pedro está leyendo los anuncios en el periódico.

Cristina: Pedro, ¿has encontrado algo?

Pedro: Ya he visto algunos que pueden interesarnos.

Cristina: ¡Qué bueno! Déjame ver contigo ...

Pedro: Lo malo es que muchos de estos anuncios no dicen cuánto es el alquiler. Tendremos que llamar. ¿Has visto éste? El edificio tiene gimnasio.

Cristina: No, no. ¡Seguramente costará un ojo de la cara!

Pedro: *(sigue leyendo)* A ver éste. Dice "muy céntrico", con 2 dormitorios.

Cristina: Ése sí que parece mejor.

Pedro: Voy a llamar ahora mismo ... 542.9060.

Propietaria: ¿Aló?

Pedro: Hola, la llamo para pedir información sobre el apartamento ...

Propietaria: Lo siento, señor, pero ya lo han alquilado.

Pedro: ¡Ay, qué lástima! ... Gracias ... ¡Nada! Ya lo han tomado.

Cristina: Aquí hay otro. También está cerca del centro. Voy a llamar ...

Propietario: ¿Aló?

Cristina: Buenas tardes, señor. Llamo por el apartamento que he visto en el anuncio del periódico. ¿Aún está disponible? ¿Puede darme más detalles?

Propietario: Sí, cómo no. Está en el segundo piso, sin amueblar y da al Parque Botánico. Tiene dos dormitorios bastante grandes, sala y cocina. Es un apartamento muy bonito, y además[1], tiene puesto de estacionamiento.

Cristina: Ah, eso es muy importante, especialmente en el centro ... ¿Y cuánto es el alquiler?

Propietario: Son 120.000 bolívares, más un depósito de tres meses. El inquilino se encarga de los gastos mensuales de agua, luz y calefacción.

Cristina: Hmm ... Parece interesante ... Hablaré con mi novio y lo llamaremos si deseamos verlo. Muchas gracias por la información.

Propietario: No hay de qué, señorita. Adiós.

[1] *además = también*

EJERCICIO 39

1. ¿Por qué han decidido Pedro y Cristina buscar un apartamento?
2. ¿Cuántos anuncios de periódico les han interesado a Pedro y Cristina?
3. ¿Por qué no le interesa a Cristina el apartamento en el edificio que tiene gimnasio?
4. ¿Por qué la propietaria del primer apartamento no le da la información a Pedro?
5. ¿En qué piso está el apartamento que da al Parque Botánico?
6. ¿Qué gastos mensuales tiene que pagar el inquilino del segundo apartamento?

PRETÉRITO PERFECTO

Pedro aún no **ha hablado** con el propietario del edificio.
Sr. Montero, ¿se **han despertado** ya sus hijos?
Nunca **he ido** a un partido de fútbol profesional.

yo	**he**	fij**ado**	**dicho**
tú	**has**	llam**ado**	**hecho**
él / ella / Ud.	**ha**	com**ido**	**abierto**
nosotros	**hemos**	ten**ido**	**vuelto**
ellos / ellas / Uds.	**han**	pod**ido**	**puesto**

(ver tablas de conjugaciones, p. 146)

EJERCICIO 40

Ejemplo: Durante los últimos meses ***ha entrado*** un gran número de turistas en nuestra ciudad. *(entrar)*

1. Mis amigos todavía no _______ todos los cuartos de su casa. *(amueblar)*
2. ¿_______ tú alguna vez en Sevilla? *(estar)*
3. Aún nosotros no _______ todos los detalles del contrato. *(leer)*
4. Ya _______ todas las tiendas en el nuevo centro comercial. *(abrir)*
5. Todavía no _______ el disco que me recomendó Pablo. *(comprar)*
6. Últimamente, el Sr. Peña nos _______ a varias fiestas. *(acompañar)*
7. ¿Cuál de los ejercicios de este libro _______ más difícil hasta ahora? *(ser)*
8. ¿_______ ya el alquiler todos los inquilinos? *(pagar)*
9. ¿Cuántas veces _______ Alejandro? *(casarse)*
10. ¡Hasta ahora nadie _______ a ver mi nuevo apartamento! *(venir)*

¿PRETÉRITO O PRETÉRITO PERFECTO?

> El mes pasado **leí** tres libros.
> Este mes **he leído** dos libros solamente.
>
> Enrique **desayunó** ya.
> ¿Por qué no **has desayunado** todavía?

EJERCICIO 41

Ejemplos: Normalmente **volvemos** a casa a las 6.00. Esta noche todavía no ***hemos vuelto***, aún estamos en la oficina.

Siempre **hago** mi cama después de levantarme. Hoy no la ***hice*** porque no tuve tiempo.

1. Todas las mañanas **veo** pasar el autobús de la escuela. Esta mañana aún no lo _______.
2. Ud. **llama** a su familia cada dos semanas. ¿La _______ la semana pasada?
3. Siempre me _______ los libros de misterio, pero éste no me **gusta** nada.
4. Cuando Uds. vivían en España, nos **escribían** mucho, pero desde que se mudaron a Chile, ¡no nos _______ ni una vez!
5. Generalmente mis amigos me **dicen** "hola" cuando me ven. Esta mañana, mi amiga Sara no me _______ nada.
6. Miguel iba a **hacer** la comida antes de las 7.00. Llámalo y pregúntale si ya la _______.
7. Algunos grandes almacenes **ponen** anuncios de rebajas de Navidad en el periódico en noviembre. Hace dos años los _______ en octubre.
8. El año pasado no **llovió** mucho, sin embargo, este año _______ bastante.
9. Todos los veranos **vamos** a la playa, pero este verano aún no _______.
10. Siempre **compro** la ropa en esta tienda, excepto mi vestido azul que _______ en una boutique en Caracas.

EXPRESIONES

EJERCICIO 42

Ejemplo: ¿Te gusta esta cama o ésa?
– Ésa no me gusta, pero ésta ***no está mal*** .

a) no está malo **b) no está mal** c) no es malo

1. ¡Probablemente el alquiler en este edificio cuesta un ojo _______!
   a) de la cara b) de mi cara c) en la cara

2. ¡_______ suerte, los gastos mensuales no son muy altos para este apartamento!
   a) Para b) Por c) Con

3. ¡En la agencia me dijeron que para cambiar el vuelo tenemos que pagar 60.000 pesetas!
   – ¡60.000! ¿_______? Me parece mucho dinero.
   a) Estás seguro b) Estupendo c) Ya era hora

4. Alquilamos un apartamento que _______ la plaza central.
   a) nos da b) le da c) da a

5. Después de un largo día de trabajo, ¡cuánto me alegro poder encontrar _______ de estacionamiento delante de mi casa!
   a) un puesto b) una puesta c) un parque

6. _______ de esta ciudad es que llueve casi todo el año.
   a) El malo b) Lo malo c) Lo mal

7. El apartamento está en un barrio _______, muy cerca de mi oficina.
   a) centro b) céntrico c) al centro

8. ¿Has encontrado _______ lo que estabas buscando?
   a) todavía b) aún c) ya

LAS CIUDADES DE MAÑANA

Es posible que el mayor problema del futuro sea el aumento de la población mundial. Esta explosión demográfica obligará a los arquitectos a buscar alternativas a las ciudades tradicionales.

Los expertos ya se están preguntando cómo encontrar espacio para construir en las grandes ciudades, donde se concentra la mayoría de la población y donde ya hay tan poco espacio disponible. Hasta ahora, hemos encontrado solución con la construcción de rascacielos.

Una alternativa será construir debajo de la tierra o en el mar. Algunos visionarios han propuesto barcos-ciudades que viajarán constantemente. La vida subterránea, sin embargo, no parece ser la solución más brillante.

También serán posibles ciudades construidas bajo domos ("ciudades burbujas"). Versiones de esta idea ya se ven en algunas instalaciones deportivas y terminales de aeropuertos en diferentes partes del mundo.

En todo tiempo hemos construido ciudades remodelando o renovando las viejas. Una excepción fue Brasilia, que se contruyó lejos de las ciudades más importantes. Esto fue solamente posible porque Brasil es un país enorme con mucho espacio inhabitado.

Muchos arquitectos aún consideran que la mejor idea para ganar espacio sigue siendo los rascacielos, pero mucho más altos que los que ahora conocemos. Los nuevos diseños tendrán 500 pisos y serán como pequeñas ciudades, con zonas comerciales y residenciales en su interior. Para darnos una idea de la altura de estos edificios es suficiente decir que ¡será necesario un cuarto de hora para subir en ascensor hasta el último piso!

¿Increíble? Pregúnteles a los constructores de rascacielos por todo el mundo. ¡Cada vez están mirando más alto!

EJERCICIO 43

1. Según el texto, ¿cuál será probablemente uno de los problemas más grandes del siglo próximo?

2. ¿Qué tendrán que hacer los arquitectos?

3. Hasta ahora, ¿cómo hemos encontrado solución al problema de espacio?

4. ¿Qué hemos hecho siempre para construir ciudades nuevas?

5. ¿Por qué se considera una excepción la construcción de Brasilia?

6. ¿Cuál es la solución preferida de muchos arquitectos para ganar espacio?

PARTICIPIO COMO ADJETIVO

Mi amigo *ha preparado* una cena fantástica.
Me gusta mucho comer una cena bien **preparada**.

En nuestro tiempo *se han construido* muchos edificios grandes.
Los edificios bien **construidos** durarán por muchas generaciones.

EJERCICIO 44

Ejemplo: El cumpleaños ***celebrado*** ayer fue el de mi abuelo. *(celebrar)*

1. Nosotros iremos el mes próximo a Lima en un viaje ________. *(organizar)*
2. ¿Te gustan las casas ________ en ese estilo? *(construir)*
3. Leo muchos libros ________ en francés. *(escribir)*
4. ¡Las bebidas ________ en la fiesta fueron excelentes! *(ofrecer)*
5. La verdad ________ a tiempo ayuda en todo momento. *(decir)*
6. ¿Quién es la persona ________ de la sucursal en Buenos Aires? *(encargar)*
7. La población ________ en esa zona es principalmente europea. *(concentrar)*
8. El bistec ________ en el restaurante Sin Rival es delicioso. *(servir)*
9. Mi amiga prefiere los bolsos ________ en México. *(hacer)*
10. ¡El momento ________ finalmente llegó! *(esperar)*

SINÓNIMOS

EJERCICIO 45

Ejemplo: La película **acabó** a las 9.20. No sabía que iba a ***terminar*** tan tarde.

1. ¿Sabe Ud. en qué siglo **empezamos** a construir altas estructuras como la Torre Eiffel?
   – ________ a construirlas en el siglo XIX.

2. Antes yo gastaba **por mes** una tercera parte de los ________ que tengo ahora.

3. Nuestro apartamento tiene cuatro **dormitorios**, pero mi ________ es la más pequeña de todas.

4. **No creo** que nuestro equipo esté jugando tan bien como el año pasado. ________ que ganen el campeonato este año.

5. Perdón, señor, ¿dijo que la **sección** de deportes está en el segundo piso al lado del ________ de señoras?

dudar
departamento
terminar
despacio
quizás
razón
habitación
puesto
comenzar
disponible
gastos mensuales

6. **Puede ser** que Angélica venga en viaje de negocios el próximo mes. ________ pueda visitarnos por un par de días.

7. Hace dos días Pablo tuvo una entrevista con el Sr. Suárez para el ________ de contador. A él siempre le ha gustado este tipo de **trabajo**.

8. Lo siento, pero el Sr. Requena no está ________ en este momento. Y por lo que veo, hoy no estará **desocupado** hasta las cuatro de la tarde.

9. Armando probablemente tiene otra ________ para estar feliz, pero estoy segura que la **causa** principal es su nueva novia.

10. Mariano siempre ha manejado muy ________, pero ¡últimamente lo está haciendo más **lento** que nunca!

Cuando se busca un apartamento

Lo estoy llamando para pedir información sobre el apartamento.

¿Está el apartamento disponible todavía?

¿Cuánto es el alquiler?

¿Es un apartamento grande?

¿Cuántas habitaciones tiene?

¿Están los gastos mensuales incluidos en el alquiler?

¿Es la calefacción eléctrica o de gas?

¿Hay puesto de estacionamiento?

¿En qué piso está el apartamento?

¿Es un barrio tranquilo?

¿Cuántos inquilinos hay en el edificio?

¿Será posible mudarse antes del primero de mes?

¿Se permiten animales?

¿Cuándo puedo ver el apartamento?

¿En qué calle está el edificio?

¿Cómo se llega allí?

¡Muchas gracias por toda la información!

CAPÍTULO 7 – REPASO

Sustantivos:

el balcón	la altura
baño	calefacción
comedor	cocina
constructor	construcción
espacio	población
jardín	
rascacielos	
ruido	
los muebles	las escaleras

Verbos:

alquilar	obligar
amueblar	proponer
concentrarse	renovar
diseñar	

¿Qué detalles son importantes para Ud. en un edificio?

– Para mí, es importante que el edificio dé a un parque y que tenga gimnasio y puesto de estacionamiento.

¿Por qué quieren mudarse Cristina y Pedro?

– Quieren encontrar un apartamento en un barrio más céntrico y tranquilo.
Además, piensan que su alquiler es demasiado caro.

¿Qué han hecho ellos hasta ahora para buscar un apartamento?

– Hasta ahora han leído los anuncios clasificados.
Han llamado a diferentes propietarios.
Han visto algunos apartamentos disponibles.

¿Es Ud. propietario o inquilino?

– Soy propietario.

¿Piensa Ud. mudarse este año?

– No, no me mudaré; he decidido renovar mi casa.

¿Qué va a hacer en su casa?

– Voy a remodelar la sala y el comedor.
construir un nuevo dormitorio

Expresiones:

Ése sí que es bueno.
Lo malo es que ...
¡Cuesta un ojo de la cara!
¡No me gusta nada!

CAPÍTULO

8

MARIACHIS Y CHOCOLATE

Manuel Salgado, mexicano, quería mostrarle algo típico de su país a un colega español, Fermín Redondo. Por eso lo invitó a ver a un grupo de mariachis interpretar la música tradicional de México. Ahora el espectáculo acaba de terminar y los dos están saliendo del teatro.

Manuel: *(cantando)* Jalisco, Jalisco, Jalisco, tú tienes una novia en Guadalajara. ... ¡Este grupo es estupendo! ¿Sabías que ha recibido varios premios?

Fermín: Sí, es un grupo increíble. Me ha gustado mucho.

Manuel: ¿Ya habías asistido alguna vez a un espectáculo de mariachis?

Fermín: Sí, claro, pero nunca había oído a un grupo como éste.

Manuel: *(cantando otra vez)* Con dinero y sin dinero ...

Fermín: ¡Nunca te había visto tan contento! ¿Qué te parece si seguimos la fiesta con un chocolate caliente?

Manuel: ¡Me parece una idea fantástica!

Los dos colegas se fueron a una cafetería cercana. Ahora están sentados delante de sus chocolates calientes.

Fermín: ¡Hum, este chocolate está riquísimo!

Manuel: ¿Sabías que los indios mexicanos usaban el chocolate no sólo como bebida, sino también como dinero?

Fermín: ¡No me digas! ¡No lo sabía!

Manuel: Sí, fíjate que el emperador azteca Moctezuma sólo bebía chocolate en su copa de ceremonias. Y, ¡lo bebía con pimienta chile!

Fermín: ¡¿Chocolate con pimienta?! ¡Qué horror!

Manuel: Sí, así se había bebido en México hasta la llegada de los españoles. Ellos no lo habían conocido antes, y cuando empezaron a beberlo, lo hicieron con leche y azúcar. Hoy en día, de esa forma, es parte de muchas de nuestras celebraciones.

Fermín: Bueno, no sólo en México. El chocolate es popular en todo el mundo.

Manuel: Pues ya ves, Fermín, lo que México le ha dado al resto del mundo. Hum ... aaah ... delicioso.

Fermín: ¡Ja, ja! Permíteme, Manuel, que te ofrezca una servilleta y, por favor, límpiate el bigote de chocolate, pues ahora sí que pareces un mariachi. ¡Ja, ja, ja!

EJERCICIO 46

1. ¿Por qué invitó Manuel a Fermín al teatro?
2. ¿Qué dijo Fermín del grupo de mariachis?
3. ¿Adónde fueron los amigos para seguir la fiesta?
4. ¿Cómo dijo Manuel que los indios mexicanos usaban el chocolate?
5. ¿Hasta cuándo se había bebido en México el chocolate con pimienta chile?
6. ¿Por qué Manuel necesitó una servilleta?

PLUSCUAMPERFECTO

Terminé la cena a las 8.00. Cristina llegó a las 8.30.
→ Cuando Cristina llegó, yo ya **había terminado** la cena.

¿Ya **habían vuelto** de las vacaciones cuando me mandaron la carta?
Era el día de la fiesta y aún no **habíamos recibido** las invitaciones.

yo	**había**	hablado
tú	**habías**	comido
él / ella / Ud.	**había**	bebido
nosotros	**habíamos**	visto
ellos / ellas / Uds.	**habían**	hecho

(ver tablas de conjugaciones, p. 146)

EJERCICIO 47

Ejemplo: Cuando llegué a la estación, el tren ya ***había salido***. *(salir)*

1. Víctor pensó que nosotros ya _______ las servilletas en el otro cajón. *(poner)*
2. Yo siempre _______ que el propietario del edificio vivía en uno de los apartamentos. *(pensar)*
3. Hasta ayer Uds. no nos _______ nada sobre los informes que les mandaron la semana pasada. *(decir)*
4. ¿Sabía Ud. que este grupo ya _______ varios premios? *(recibir)*
5. Algunas personas ya me _______ de ti antes de conocerte. *(hablar)*
6. Julio y Gloria todavía no _______ adonde ir en sus vacaciones cuando los vi ayer. *(decidir)*
7. ¿_______ tú esta película antes o fue ayer la primera vez? *(ver)*
8. Salí del teatro después de las 10.00, pero el espectáculo aún no _______. *(terminar)*

EJERCICIO 48

Ejemplo: La canción que recibió el primer ***premio*** es muy popular entre los fanáticos de ese grupo.

sino que
además
buenísimo
increíble
premio
amueblado
introduzca
sí
perdida
detalles
estación

1. El día está _______ para ir a nadar.
2. Carlos, encontré tu pelota _______ que por tanto tiempo buscaste.
3. ¿Qué _______ del año te gusta más?
4. Vimos un apartamento _______, pero no nos gustó mucho.
5. No solamente firmé el contrato de alquiler, _______ también dejé un depósito de dos meses.
6. Este producto se exportará a Canadá, a México y, _______, a las islas del Caribe.
7. ¿Qué otros _______ necesitas para completar el informe?
8. Es posible que la compañía _______ un nuevo producto en el mercado este año.
9. ¡Ahora _______ que encontramos el lugar perfecto para mudarnos!
10. ¡Es _______! ¡Es la primera vez en tu vida que llegas a tiempo!

DOS FIESTAS MEXICANAS

Los hispanos son personas que generalmente celebran sus fiestas fuera de casa: en las calles o en las plazas. A veces, algunas de ellas se celebran en lugares poco comunes.

Ése es el caso del Día de los Muertos, tradición celebrada en México todos los años, el dos de noviembre. El origen de esta fiesta religiosa viene de culturas pre-hispánicas y de tradiciones medievales españolas. En este día es la costumbre de los vivos visitar a los muertos. El mejor lugar para hacerlo es, evidentemente, ¡el cementerio!

Al cementerio se llevan diferentes cosas para ofrecer a los muertos: comida, en particular panes de muerto[1], bebida, flores y velas. En las casas se hacen "ofrendas" para los muertos que consisten en altares donde se ponen fotografías de los muertos, comida y flores, como los cempasuchiles, la flor de muerto típica de ese día. Se cree que los muertos llegan de noche a disfrutar la comida en espíritu. ¡Los vivos la comen después! Además, los vivos se ofrecen entre ellos calaveras de azúcar en las que están escritos sus nombres.

[1] *pan de muerto = pan hecho especialmente para la fiesta del Día de los Muertos*

Otra fiesta tradicional de México, Las Posadas, se celebra cada noche antes de la Navidad, desde el 16 al 24 de diciembre, para recordar el viaje de María y José de Nazaret a Belén.

Cada noche hay una posada, en una casa diferente cada vez. En las posadas tradicionales, los invitados hacen una procesión hasta la casa en que se celebrará la posada. Delante va un niño vestido de ángel y lo siguen otros niños que llevan figuras de María y José. El resto de los invitados lleva velas y canta canciones religiosas.

Cuando llegan a la casa, algunos de los invitados entran y los otros se quedan afuera. Estos cantan para pedir "posada", es decir, que les permitan entrar. Los de adentro no los aceptan de inmediato y les dan distintas razones para no darles posada. Finalmente, acceden y abren la puerta. Los de afuera entran y empieza la fiesta.

La última posada es el 24 de diciembre. Es la más concurrida[2] y termina con la celebración de la "Misa de gallo", a medianoche.

[2] *concurrir = asistir*

EJERCICIO 49

1. Durante la celebración del Día de los Muertos ________.

   a) se hacen visitas al cementerio
   b) se hacen procesiones
   c) se va a la Misa de gallo

2. Las ofrendas hechas a los muertos consisten en ________.

   a) canciones escritas por alguien de la familia
   b) fotografías de amigos
   c) velas, comidas, bebidas y flores

3. Cuando los invitados llegan a la casa donde se celebra la posada, ________.

   a) bailan para que les permitan entrar
   b) cantan para pedir posada
   c) hacen ofrendas a la familia de la casa

Aquí está *la llave*. Rosario pudo abrir la puerta *con esta llave*.
→ Aquí está la llave **con la que** Rosario pudo abrir la puerta.

Raúl asistió a una reunión pero no **a la que** tuvo lugar ayer.
El tren **en el que** viajé a Madrid no tenía servicio de restaurante.
¿Sabe Ud. quién tiene los informes **de los que** hablamos ayer?

EJERCICIO 50

Ejemplo: El bar ***en el que*** comí anoche tenía un menú excelente.
a) en la que **b) en el que** c) con el que

1. El teatro ________ iremos mañana está cerca del parque.
   a) del que b) al que c) a la que
2. ¿Dónde están los coches ________ vinieron los invitados?
   a) a los que b) con los que c) en los que
3. La Sra. Díaz no ha recibido los datos financieros ________ no puede hacer nada.
   a) de los que b) sin los que c) por los que
4. El libro ________ te hablé ayer se llama "Los Pasos Perdidos".
   a) por el que b) del que c) al que
5. El estacionamiento ________ pasamos estaba completamente lleno.
   a) por el que b) para el que c) del que
6. ¿Quién tiene el formulario ________ se necesita más información?
   a) para el que b) con el que c) del que
7. La compañía ________ trabajan dos de mis vecinos es internacional.
   a) para la que b) por la que c) de la que
8. Las calaveras ________ se escriben los nombres de las personas, son de azúcar.
   a) a las que b) de las que c) en las que

ESTILO INDIRECTO CON PLUSCUAMPERFECTO

EJERCICIO 51

Ejemplo: "Este grupo ha recibido varios premios."
Fermín dijo que ***este grupo había recibido varios premios*** .

1. "Julián, ¿has visto este espectáculo antes?"
   Te pregunté si ________.

2. "Esteban y Enrique han disfrutado mucho de las fiestas tradicionales."
   Cecilia nos contó que ________.

3. "¿Quién ha hecho todo esto?"
   Ud. me preguntó quién ________.

4. "He visitado México varias veces, pero nunca me he quedado allá por más de una semana."
   Le expliqué a Roberto que ________.

5. "Mis amigos y yo hemos decidido asistir a la Posada del 24 de diciembre."
   ¿Quiénes dijeron que ________?

6. "Nos ha gustado mucho esta celebración."
   Uds. dijeron que ________.

7. "Aún no he escrito el informe de ventas de este mes."
   Diego les dijo a Uds. que ________.

8. "Los Lucas todavía no han vuelto de sus vacaciones."
   Nosotros te dijimos que ________.

9. "México le ha dado el chocolate al resto del mundo."
   ¿Quién dijo que ________?

10. "¡Eugenio y Cristina ya se han casado!"
    Yo no sabía que ________.

CAPÍTULO 8 – REPASO

Sustantivos:

el actor
cementerio
compositor
lugar
músico
premio

la actriz
calavera
costumbre
cultura
llegada
vela

Verbos:

actuar
apagar
aplaudir
devolver
encender
reirse
sonreirse

¿Qué le dijo Isabel a Ud.?
– Me dijo que había visto una obra de teatro dramática y triste.

¿Le gustó a ella?
– Sí, disfrutó mucho del espectáculo.

¿Qué le pidió Ud. prestado a Leonor?
– Le pedí prestado el vestido con el que había ido a su boda.

¿Le prestó el vestido?
– No, no me prestó ese vestido, sino otro un poco menos formal.

¿Escucharon Uds. en la tienda el nuevo disco compacto de ...?
– No solamente lo escuchamos, sino que también lo compramos.

¿A qué teatro iremos en el fin de semana?
– Iremos al que está cerca del Café Real.

¿Qué le dijo Fermín a Manuel?
– Le dijo que nunca había visto a este grupo de mariachis.

¿Toca Manuel un instrumento musical?
– Sí, toca el piano.

Expresiones:

Pues ya ves que fácil es.
Me encanta la música de los 50.
¡No me digas!
¡Increíble!
¡Qué horror!
¡Te va a matar!
Vale la pena.

CAPÍTULO

LOCOS POR LAS TELENOVELAS

Ayer a los García les ocurrió algo terrible: pasaron una hora encerrados en el ascensor de su edificio y no pudieron ver el último capítulo de "Esmeralda, amor de papel", la mejor telenovela del momento en Perú.

Riin... Riin... Riin...

Sra. García: Es inútil que sigas pulsando el timbre de alarma. La telenovela acaba de empezar y ya conoces a nuestros vecinos. Ponen la televisión a todo volumen y de nueve a diez de la noche nadie sale ni entra de este edificio.

Sr. García: Pues sí que es mala suerte ... ¡Auxilio! ¡Socorro! ... ¡¿Es que no nos oye nadie?!

Sra. García: Esperemos un momentito, Jorge. ¿Qué otra cosa podemos hacer? ¡Anda, tranquilízate!

Sr. García: Estoy tranquilo. ¿No me ves?

Sra. García: Sí, ya te veo.

Sr. García: Lo que me pasa es que esto me parece increíble, cuatro meses siguiendo la historia de Esmeralda noche tras noche, casi sin pensar en otra cosa, y al final, ¡plaff!, nos quedamos sin ver lo que ocurre.

Sra. García: Sí, realmente es un fastidio, justo hoy cuando todo se resuelve.

Sr. García: Bueno, siempre se sabe lo que va a pasar. Esmeralda saldrá del hospital; Sarai, la mala, será encontrada muerta en su apartamento y José Alfredo volverá junto a Esmeralda. Pero lo interesante es verlo.

Sra. García: No estoy de acuerdo en lo que has dicho de Sarai. Quizás no muera.

Sr. García: Pero, mujer, si tomó toda una cajita de aspirinas en el capítulo de anoche. *(Pum, pum, pum. Golpeando en el ascensor.)*

Sra. García: Sin embargo, recuerda que José Alfredo es médico. Sarai será salvada por él, no tengo dudas. ... ¡Dios mío, Jorge! ¿Qué te pasa? ¡Te has puesto blanco!

Sr. García: ¡Aire, necesito aire! (*¡Riin! ¡Pum, pum! ¡Riin!*) ¡Auxilio! ¡¡Que alguien nos saque!!

Sra. García: Veinte años de matrimonio y ahora descubro que sufres de claustrofobia.

Sr. García: ¡Socorro! ¡Auxilio!

Poco más de una hora después, los García fueron sacados del ascensor. No pudieron ver el final de la telenovela, pero, efectivamente, José Alfredo volvió junto a Esmeralda y salvó a Sarai.

La próxima semana, de lunes a viernes, otra apasionante telenovela comenzará para los García y sus vecinos. Y de ahora en adelante, el Sr. García usará las escaleras.

EJERCICIO 52

1. ¿Por qué no pudieron ver los García el último capítulo de "Esmeralda"?
2. ¿Por qué nadie oyó el timbre de alarma?
3. ¿Por qué se ha puesto blanco el Sr. García?
4. ¿Qué descubrió la Sra. García después de veinte años de matrimonio?
5. ¿Cuánto tiempo han pasado los García en el ascensor?
6. ¿Cómo ha cambiado la vida del Sr. García después del episodio en el ascensor?

LA VOZ PASIVA

Cada semana la empresa *organiza* varias reuniones.
→ Cada semana varias reuniones **son organizadas** *por* la empresa.

Una familia inglesa *ha alquilado* nuestro apartamento.
→ Nuestro apartamento **ha sido alquilado** *por* una familia inglesa.

¡Pepe y Carlos *comerán* esta torta en cinco minutos!
→ ¡Esta torta **será comida** *por* Pepe y Carlos en cinco minutos!

EJERCICIO 53

Ejemplo: Los vecinos ponen la televisión a todo volumen.
La televisión es puesta a todo volumen por los vecinos.

1. Muchas personas verán la novela en diferentes países.
2. ¿Cuándo preparaban Uds. los informes?
3. Los mexicanos celebran las posadas en diciembre.
4. El Greco pintó ese cuadro.
5. ¡Cada año el propietario aumenta el alquiler de mi apartamento!
6. Un arquitecto famoso diseñó este edificio en 1935.
7. ¿Por qué han cambiado el horario de tren?
8. De ahora en adelante haremos todo lo que Ud. diga.
9. ¿Bailan la cumbia en Colombia?
10. Roberto organizaba muchas excursiones en los veranos.

	-ito / -ita	*-illo / -illa*
gato	gat**ito**	
mesa*	mes**ita**	mes**illa**
hotel	hotel**ito**	
	-ecito / -ecita	*-ecillo / -ecilla*
caf**é**	caf**ecito**	
hombr**e***	hombr**ecito**	hombr**ecillo**
	-cito / -cita	*-cillo / -cilla*
Carme**n**	Carmen**cita**	
dolo**r***	dolor**cito**	dolor**cillo**

* *En algunos casos dos formas son posibles.*

☞ poco ⇨ poquito
amigo ⇨ amiguito

EJERCICIO 54

Ejemplos: frase ***frasecita*** perro* ***perrito / perrillo***

1. ventana* ________
2. niña ________
3. cuchara* ________
4. lección ________
5. corazón ________
6. abrigo ________
7. canción ________
8. papel* ________
9. libro* ________
10. postre ________
11. cajón ________
12. Miguel ________
13. calor ________
14. casa ________
15. amor ________
16. quiosco ________
17. viaje ________
18. chico ________

BUSCANDO UN PROGRAMA DE COMPUTADORA

Ana María Salgado entra en una tienda de software.

Vendedor: Buenos días, señora. ¿Puedo mostrarle algo?

Sra. Salgado: Sí, señor. Estoy buscando un programa para mi hija.

Vendedor: ¿Qué tipo de programa le interesa? ¿Un videojuego? ¿Un programa educativo?

Sra. Salgado: Prefiero algo que sea educativo, que le ayude con sus tareas de la escuela.

Vendedor: Bien, tenemos varios. Puedo mostrarle uno que fue introducido al mercado hace poco y que pronto será usado en muchas escuelas. Seguro que le gustará.

Sra. Salgado: ¡Estupendo! ¿En qué consiste?

Vendedor: Se ofrece en dos formas: matemáticas e inglés. Pero también se ofrecen programas para practicar otras materias: ciencia, historia, cálculo, etc. Estoy seguro que tendrán gran éxito.

Sra. Salgado: ¿Podemos probar el programa de matemáticas?

Vendedor: ¡Cómo no! Aquí lo tiene. Ponga el disco en la computadora. Sí, así es ... Bien, el comenzar es fácil, el niño sólo tiene que escribir su nombre y edad. El programa entonces adapta la dificultad y la duración de las sesiones a la edad del alumno.

Sra. Salgado: Dígame, ¿fue diseñado especialmente para niños este programa?

Vendedor: Exactamente. Ahora, fíjese que cuando comienza se ven un reloj y una carita en la pantalla. El reloj marcará[1] cuanto tiempo queda para contestar. Y la carita cambia de expresión, dependiendo de la respuesta.

Sra. Salgado: Bien, vamos a probarlo ... ¿Cómo funciona? ¿Qué tengo que hacer?

Vendedor: Bueno, probemos el primer problema ... ¿Ve Ud.? Escoja entre las tres respuestas que se ven en la pantalla, entonces, lleve el cursor a la respuesta correcta y después pulse "*ENTER*".

Sra. Salgado: ¡Ajá! ¡Parece que contesté bien! ¡La carita está sonriéndose!

Vendedor: Eso es. Y le está diciendo que siga ... ¿Ve? Y al final de cada lección le indicará cuantas respuestas han sido correctas.

Sra. Salgado: ¡Vaya! ¡Eso es genial! ¿Tiene alguna información escrita para leer en casa?

Vendedor: Sí, sí, aquí está.

Sra. Salgado: ¡Muchas gracias por su ayuda!

[1] *marcar = indicar*

EJERCICIO 55

1. ¿Por qué entra la Sra. Salgado en la tienda de software?
2. ¿Qué tipo de programa le muestra el vendedor?
3. ¿Qué se ven en la pantalla al comenzar el programa?
4. ¿Cuándo se sabe que la respuesta escogida es correcta?
5. ¿Qué indica el programa al final de cada lección?

INFINITIVO COMO SUJETO

Hacer deportes es bueno para la salud.
Viajar al extranjero es muy interesante.
Aprender cosas nuevas siempre ayuda en la vida.

☞ *También se dice: **El hacer** deportes es bueno para la salud.*

EJERCICIO 56

Ejemplo: A veces ***encontrar*** un apartamento toma mucho tiempo.

1. _______ todos los días es parte de mi vida.
2. _______ los Andes bolivianos no es tan fácil como parece.
3. _______ la televisión todas las noches es sinónimo de perder el tiempo.
4. Generalmente, _______ películas es más barato que _______ al cine.
5. _______ la fecha de la fiesta es mejor que cancelarla.
6. _______ temprano no es un problema para mí.
7. _______ el verano en la playa les encanta a los Alonso.
8. Para mi madre, _______ mi vestido de boda fue un gran placer.
9. ¿Cree Ud. que _______ es malo para la salud?
10. _______ en el centro me permite ver muchas exposiciones.

levantarse
fumar
alquilar
pasar
encontrar
vivir
diseñar
leer
ir
mirar
cambiar
visitar

EJERCICIO 57

Ejemplo: ¿Has visto el coche nuevo de Rafael?
– Sí, ¡le costó ***un ojo de la cara*** !

a las mil maravillas
pues sí que
tan bien
la noche en claro
un ojo de la cara
está disponible
de mal en peor
fíjate
ya verán
qué fastidio
sobre todo

1. ¿Cómo van las cosas entre Ud. y su jefe?
   – ¡_______ que no puedo creerlo!

2. ¿Por qué está tan cansado?
   – Es que pasé _______.

3. Dice Diego que necesitas dinero.
   – ¡_______ lo necesito y rápido!

4. ¿Cómo te fue en el viaje de vacaciones?
   – ¡_______!

5. El apartamento está bueno, ¿verdad?
   – Sí, y _______ es muy céntrico.

6. Es importante que hable con el Sr. López en seguida.
   – Lo siento, pero no _______.

7. Parece que Carlos tiene problemas con su negocio.
   – Sí, va _______.

8. Esta noche vamos a ver la película que nos recomendaste.
   – _______ qué cómica es.

9. ¡Creo que es mejor que hagas el informe otra vez!
   – ¿Otra vez? ¡_______!

10. ¡Adriana me dijo que había visto a Alfredo y a Ana bailando juntos!
    – ¡Es la verdad! _______ que yo mismo los vi.

CAPÍTULO 9 – REPASO

Sustantivos:

el cable
- canal
- cursor
- televisor
- timbre de alarma

la dificultad
- impresora
- pantalla
- tecla
- urgencia

los bomberos

Verbos:

cambiar
escoger
golpear
gritar
herir
imprimir
probar
pulsar
quedar
salvar

¿Qué ocurrió anoche en la casa de los ...?
– Hubo un fuego bastante grande.

¿Hubo algunas personas heridas?
– Tristemente, sí, hubo varias, pero la ambulancia las llevó inmediatamente al hospital.

¿Qué programas de televisión son más vistos por Ud. y su familia cada día?
– Las noticias y las telenovelas son vistos cada día por todos en mi casa.

¿Ponen Uds. la televisión a todo volumen?
– Por lo general, no, no la ponemos a todo volumen.

¿Por qué no pudieron los García ver su telenovela favorita anoche?
– No pudieron verla porque se quedaron encerrados en el ascensor.

¿Por qué miran los García tantas novelas?
– Mirar novelas es lo que más les gusta.

¿Qué hizo la Sra. Salgado ayer en la tienda de software?
– Compró un programa educativo para su hija.

¿Qué tipo de programa compró?
– Compró uno que fue diseñado para alumnos de ciencias e idiomas.

¿Tienen los Salgado animales?
– Sí, tienen un perrito.

¿En qué nivel de español está?
– Estoy en el nivel elemental.
intermedio
avanzado

Expresiones:

¡Auxilio! ¡Socorro!
¡Anda, tranquilízate!
¡Qué mala suerte!
¡Qué fastidio!
¡Eso es!
¡Vaya, eso es genial!

CAPÍTULO

10

LAS PERSPECTIVAS DEL FUTURO

A Lola Reyes, la directora de la empresa Montel en Caracas, le han pedido una entrevista para el periódico del colegio de sus hijos. La entrevista un alumno de 16 años.

Alumno: Sra. Reyes, cuando Ud. estudiaba en el liceo, ¿pensó alguna vez que podría ser directora de una empresa?

Sra. Reyes: ¡No, nunca! A esa edad no sabía qué quería hacer en el futuro. Pero estudiaba mucho para superar mis asignaturas y poder elegir una buena profesión.

Alumno: ¿Le aconsejaron sus profesores qué carrera sería la mejor para Ud.?

Sra. Reyes: Me dijeron que debería estudiar algo de ciencias, por ejemplo, matemáticas.

Alumno: ¿Y qué estudió? ¿Siguió ese consejo?

Sra. Reyes: Bueno, estudié psicología, pero después me interesé en temas económicos. Y al terminar hice una Maestría en Dirección de Empresas.

Alumno: ¿Diría Ud. que tenemos que saber relacionar diferentes materias para tener éxito en nuestras carreras?

Sra. Reyes: ¡Absolutamente! En mi puesto lo más importante es conseguir que todos trabajen en coordinación y a gusto. Mis estudios de psicología me han servido para esto.

Alumno: Mirando atrás[1], ¿cambiaría algo?

Sra. Reyes: No, realmente no. Pero ahora quiero mejorar mi inglés. Me ayudaría mucho, porque mi empresa tiene cada vez más contacto con el extranjero.

Alumno: Finalmente, ¿qué consejos daría a los jóvenes de nuestro colegio antes de escoger una carrera?

Sra. Reyes: Les aconsejaría estudiar algo que les interese sin olvidar las perspectivas del futuro.

Alumno: Muchas gracias, Sra. Reyes, por su tiempo.

[1] *mirando atrás = mirando al pasado*

EJERCICIO 58

1. ¿Para qué le hace el alumno una entrevista a la Sra. Reyes?

2. ¿De qué hablan la Sra. Reyes y el alumno?

3. ¿En qué se interesó la Sra. Reyes después de estudiar psicología?

4. ¿Qué dice la Sra. Reyes que es lo más importante en su puesto?

5. ¿Por qué le ayudaría a la Sra. Reyes mejorar su inglés?

6. ¿Qué les aconsejaría ella a los jóvenes?

EL CONDICIONAL

> No sé dónde están mis llaves. Creo que están en mi casa.
> → **Podrían** estar en mi casa.
>
> ---
>
> Mirando atrás, Lola no **cambiaría** nada de lo que estudió.
> ¡Les **aconsejaría** comprar un mapa antes de su viaje!
> ¿Te **interesaría** elegir otras materias?

yo	habla**ría**	**sabría**
tú	toma**rías**	**harías**
él / ella / Ud.	abri**ría**	**tendría**
nosotros	se**ríamos**	**diríamos**
ellos / ellas / Uds.	volve**rían**	**querrían**

(ver las tablas de conjugaciones, p. 146)

EJERCICIO 59

Ejemplo: ¿Dónde te ***gustaría*** comer esta noche? *(gustar)*

1. Nosotros _______ por más días, pero no tenemos tiempo. *(quedarse)*
2. ¡Qué horror! ¿Quién _______ una cosa tan terrible? *(hacer)*
3. ¿Estás usando todavía el ascensor que tiene problemas? ¡Yo _______ por las escaleras! *(subir)*
4. ¿Por qué _______ ellos antes de la hora indicada en la invitación? *(venir)*
5. En este caso, yo les _______ a Uds. probar otro programa. *(recomendar)*
6. No me gustan los muebles que mi amiga va a comprar para su apartamento. Yo lo _______ en un estilo diferente. *(amueblar)*
7. ¡Creo que tú _______ qué hacer con tanto dinero! *(saber)*
8. Para completar la maestría, ella _______ que estudiar por dos años más. *(tener)*

ESTILO INDIRECTO CON CONDICIONAL

Lola dijo: "Estudiaré psicología."
→ Dijo que **estudiaría** psicología.

Ud. preguntó si **iríamos** a Puerto Rico este verano.
Yo pensé que él **diría** algo más sobre esto.
¿Adónde dijo Ud. que **querría** ir?

EJERCICIO 60

Ejemplo: Ud. dice que Tomás le preguntará a Marta otra vez.
Ud. dijo que Tomás le preguntaría a Marta otra vez.

1. El arquitecto dice que el edificio estará terminado dentro de tres meses.
2. Yo creo que ellos ganarán el premio esta vez.
3. Le prometo a Ud. que saldré a tiempo.
4. ¿Dicen Uds. que el grupo interpretará música folklórica?
5. Elena piensa que ella preparará todo para la fiesta.
6. Ricardo se pregunta si sus estudios le servirán de mucho en su carrera.
7. Uds. piensan que a Armando le gustará ir de vacaciones a Europa.
8. Nosotros preguntamos si Uds. seguirán nuestros consejos.
9. ¿Creen los empleados que les darán otro aumento de sueldo este año?
10. ¿Dice Ud. que lloverá mañana?

EJERCICIO 61

Ejemplo: ¡Por supuesto que no podemos **creer** lo que nos has dicho! ¡Es absolutamente ***increíble***!

1. El Sr. Ruiz es ________ de dos casas en la calle Merchán. También es de su **propiedad** el edificio al lado del correo.

2. Yo creía que Uds. habían terminado ya de **amueblar** el apartamento. ¿Les faltan muchos ________ todavía?

3. Los niños siempre ________ cuando les doy helado. Sus caras **sonrientes** me indican que están muy contentos.

4. ¿Qué le podríamos ________ a Miguel para su cumpleaños? El último **regalo** que elegimos para él no le gustó mucho.

5. Cuando era pequeña, mi abuelo siempre me **contaba** algo antes de dormirme. ¡Cómo me encantaban sus ________!

6. ¿Es **obligatorio** firmar un contrato de alquiler? Ojalá que no me ________ a firmarlo por más de un año!

7. Como siempre, Héctor me contó todo **detalladamente**. ¡No olvidó un solo ________!

8. ¡En la ________ de la esquina hacen un **pan** italiano fabuloso!

9. Esta canción tuvo mucho ________ en el último festival. Fue interpretada por una **exitosa** cantante.

10. Pensamos **alquilar** este local para el negocio que queremos abrir. Lo mejor es que el ________ no es muy alto.

TIEMPO DE CARNAVAL

Fiesta, color, fantasía ... El mes de febrero es tiempo de carnaval en numerosas ciudades de los países de habla hispana. Durante varios días la gente sale a la calle, lleva disfraces, asiste a bailes de máscaras, participa en desfiles. ¡Es tiempo de pasarlo en grande! Pero todos los carnavales no son iguales, cada uno tiene sus propias características. Visitemos dos ciudades a ambos lados del Atlántico para aprender un poquito de la riqueza cultural del carnaval.

Viajemos primero a Cádiz, una ciudad alegre y festiva situada en la costa atlántica del sur de España. Su carnaval se define gracias a su sentido del humor. Los ciudadanos inventan divertidas canciones que critican la política, la sociedad, etc. Son cantadas por grupos de unas treinta personas que llevan disfraces del mismo estilo. Por ejemplo, sería posible encontrar en una calle a un grupo de cantores vestidos como Abraham Lincoln, y en la siguiente calle encontrar a otro que representa una ensalada: ¡con disfraces de cebollas, tomates y hojas de lechuga!

Durante meses los grupos de cantores preparan sus canciones para presentarlas en el gran teatro de la ciudad. Los que tengan las canciones más ingeniosas y las interpreten con más gracia serán premiados por la ciudad. En Cádiz es un gran honor ser los campeones del sentido del humor.

Pasemos ahora a Ponce, una ciudad de Puerto Rico, fundada no mucho después de que Cristobal Colón descubriera América. Hoy es la segunda ciudad de la isla y una de las más bellas del Caribe.

El carnaval de Ponce también tiene, por supuesto, algo muy especial, los vejigantes: personas vestidas con ropa de vivos colores y espectaculares máscaras que tienen numerosos cuernos. Los vejigantes salen a la calle y tratan de asustar a la gente con sus cuernos, actuando como monstruos o demonios.

Las máscaras de los vejigantes, hechas de papel maché y cuidadosamente pintadas, son ejemplos excepcionales del arte folklórico de Puerto Rico. Hoy en día se encuentran en museos de arte popular a lo largo del mundo e interesan cada vez más a los coleccionistas.

Fiesta, color, fantasía ... Cómicos, cantores, vejigantes ... ¡Es tiempo de carnaval!

EJERCICIO 62

1. El carnaval en numerosas ciudades de los países hispanos ________.
   a) no se celebra todos los años
   b) se celebra en el mes de febrero
   c) se celebra en el verano

2. Canciones ingeniosas e interpretadas con gracia son factores necesarios para ________.
   a) ser campeones del sentido del humor en Cádiz
   b) participar en los desfiles del carnaval de Ponce
   c) pasarlo bien

3. Durante la fiesta de carnaval de Ponce, los vejigantes ________.
   a) interpretan canciones que critican a los políticos
   b) se presentan en el gran teatro de la ciudad
   c) llevan máscaras con numerosos cuernos

4. Las máscaras de los vejigantes ________.
   a) son ejemplos del arte folklórico de Puerto Rico
   b) son hechas de plantas de la región
   c) no interesan a la comunidad artística

IMPERFECTO DE SUBJUNTIVO

Quiero que vengas conmigo al carnaval de Cádiz.
→ *Quise* que **vinieras** conmigo al carnaval de Cádiz.

Fue importante que Martina **llegara** a tiempo.
Les *pedí* que **pusieran** las cartas en la mesa.
¿Le *sorprendió* a Ud. que yo **escribiera** un libro?

yo	habl**ara**	**supiera**
tú	tom**aras**	**hicieras**
él / ella / Ud.	abr**iera**	**tuviera**
nosotros	com**iéramos**	**fuéramos**
ellos / ellas / Uds.	volv**ieran**	**dijeran**

(ver las tablas de conjugaciones, p. 146)

EJERCICIO 63

Ejemplo: Mis profesores me aconsejan que haga mi maestría en matemáticas.
Mis profesores me aconsejaron que hiciera mi maestría en matemáticas.

1. Aurora duda que su amiga la ayude con la tarea.
2. Elsa nos dice que esperemos un tiempo más largo antes de tomar la decisión final.
3. ¡Siento mucho que lo obliguen a trabajar durante los fines de semana!
4. ¿No piensas que Verónica pueda descubrir la verdad ella misma?
5. Puede ser que a partir del mes de enero los gastos mensuales aumenten.
6. Es posible que Rolando tenga alguna información escrita para Ud.
7. ¿Qué prefiere Ud. que hagamos primero?
8. Es una lástima que Marisol no venga al desfile con nosotros.

¿PRESENTE o IMPERFECTO DE SUBJUNTIVO?

EJERCICIO 64

Ejemplos: Es probable que el Sr. Fuentes **tenga** éxito con el producto nuevo. *(tener)*
¿Le sorprendió a Ud. que yo **saliera** anoche? *(salir)*

1. Fue muy importante que Aurora ________ todos sus problemas. *(identificar)*

2. ¿Por qué no les aconsejaste que ________ más tarde? *(venir)*

3. Augusto y yo dudamos que, la próxima vez, Vivian ________ trabajar con nosotros. *(querer)*

4. La Sra. Mejía no cree que a sus hijas les ________ el videojuego que les compramos. *(gustar)*

5. Gerardo quiso que yo ________ a su hermano con mi nueva máscara. *(asustar)*

6. Mis amigos nunca pensaron que el carnaval ________ tan divertido. *(ser)*

7. En mi trabajo, es necesario que yo ________ bien con los clientes. *(relacionarse)*

8. ¿Qué te parece si les pedimos a los Pérez que ________ alguna música de su país? *(interpretar)*

9. Te recomendé que le ________ todo a tu familia. *(decir)*

10. ¡Lo importante es que nosotros lo ________ bien en la fiesta! *(pasar)*

EJERCICIO 65

Ejemplo: Las fresas, por ***ejemplo***, son frutas de verano.	***E J E M P L O*** 4 5 6 12 8 18 2
1. Tomo cerveza casi siempre con el almuerzo pero _______ con el desayuno.	1 21 16 31 9
2. ¿Cuántas _______ lleva llegar _______ la capital?	29 19 10 11 7 15
3. No sé si Manuel se va a _______ en esta sucursal o si se mudará a otra.	20 24 22 3 13 33
4. No creo que _______ bastante comida para todos los invitados.	34 17 36 27
5. Mi abuelo es muy viejo. ¡Tiene 99 _______!	30 14 35 28
6. ¿Quieres venir a la playa mañana? – _______ de mi trabajo. Si termino el informe esta noche, podré ir contigo.	26 25 23 32 1 3 6

Proverbio famoso:

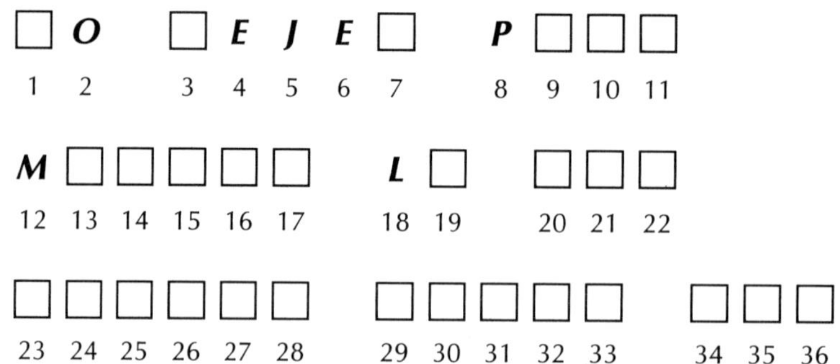

Sustantivos:

el bachillerato
campeón
demonio
honor
monstruo

la asignatura
ciencia
gracia
profesión
riqueza

los estudios

Verbos:

pintar
premiar
relacionar
superar
tratar de

¿Quién entrevistó a Lola Reyes?
– La entrevistó un estudiante del colegio de sus hijos.

¿Eligió Lola estudiar las carreras de psicología y temas económicos?
– Sí, eligió estudiar ambas.

¿Cuál fue su maestría?
– Su maestría fue en Dirección de Empresas.

¿A qué escuelas asistió Ud. cuando era estudiante?
– Asistí a las escuelas primaria y secundaria, al liceo y a la universidad.

¿Qué consejos les daría Ud. a los jóvenes antes de escoger una carrera?
– Les aconsejaría no olvidar nunca las perspectivas del futuro.

¿Qué harían Uds. para celebrar las fiestas de Carnaval?
– Llevaríamos disfraces bellos y de colores vivos.
Nos pondríamos máscaras para asustar a la gente.
Participaríamos en desfiles y concursos.
¡Lo pasaríamos en grande!

¿Qué quiso su jefe que Ud. hiciera ayer?
– Mi jefe quiso que yo fuera al banco.

¿Y qué le pidió Ud.?
– Le pedí que me permitiera terminar el informe antes de ir al banco.

Expresiones:

Gracias a Ud., todo va bien.
A causa del mal tiempo, nos quedamos en casa.
Me siento a gusto en este lugar.
¡Absolutamente!
Realmente no.

CAPÍTULO

11

LA YERBA MATE

Con su caballo durmiendo cerca de él, el viejo gaucho miró a las estrellas que parecían tan lejanas. Luego, sorbiendo[1] lentamente su bebida, dio un gran suspiro y dijo: "¡Mate, delicioso mate! ¿Qué haría yo sin ti? Ninguna otra me satisface como tú."

La yerba mate es una planta sudamericana, y sus hojas se usan como las del té para hacer una bebida amarga que se sirve en un recipiente pequeño. Ésta se bebe poco a poco por un tubo de metal llamado "bombilla". Es común encontrar referencia a la yerba mate en la cultura de los gauchos de Argentina, pero no son ellos los únicos que la beben. Millones de personas en Latinoamérica y aún en los países árabes la toman a diario.

Los primeros consumidores de la planta fueron los indios guaraníes de Paraguay, pero fueron los jesuitas españoles los que la dieron a conocer al resto del mundo en el año 1609. Hoy en día es una gran industria para la que trabajan más de 400.000 personas en Argentina, Brasil y Paraguay. La planta se produce sólo en esos tres países por ser[2] los únicos que reúnen las condiciones necesarias para su cultivo.

[1] *sorber = beber lentamente*

[2] *por ser = aquí, porque son*

La yerba mate es considerada un alimento energético y de magníficas propiedades. Un soldado[3] británico hecho prisionero en Buenos Aires en 1806 dijo: "Al principio, a los prisioneros no nos gustaba esa yerba por su sabor amargo, pero con el tiempo la preferíamos a cualquier otra bebida. Sus sensacionales efectos medicinales para el estómago se hicieron bien conocidos entre nosotros."

Sin embargo, el soldado británico nunca pudo acostumbrarse a beber el mate en grupo, con la misma bombilla pasando de boca a boca, lo cual constituía y sigue siendo un extendido hábito[4] entre la población y demuestra que el mate no es sólo una bebida, sino también un símbolo de amistad y tradición.

3 *soldado = persona que sirve en la milicia*

4 *extendido hábito = costumbre*

EJERCICIO 66

1. El mate se bebe ________.

   a) en un recipiente en forma de calabaza
   b) en una taza, como el té
   c) en una botella

2. Los indios guaraníes de Paraguay ________.

   a) dieron a conocer al mundo la yerba mate
   b) no conocían la yerba mate
   c) fueron los primeros consumidores de la yerba mate

3. Se puede encontrar referencia a la yerba mate en la cultura ________.

   a) de los italianos
   b) de los argentinos
   c) mexicana

4. La yerba mate no se produce en América Central porque ________.

   a) sólo a los Argentinos les gusta
   b) no se producen bombillas en esta región
   c) las condiciones no son apropiadas para su cultivo

ALGÚN, NINGÚN, CUALQUIER, ETC.

¿Quieres que te compre **alguna** revista?

– No, gracias. No me compres < **ninguna** revista. / **ninguna**.

– Sí, por favor. Cómprame < **cualquier** revista. (¡No importa cuál!) / **cualquiera**.

¿Quieres que te traiga **algún** periódico?

– No, gracias. No me traigas < **ningún** periódico. / **ninguno**.

– Sí, por favor. Tráeme < **cualquier** periódico. (¡No importa cuál!) / **cualquiera**.

EJERCICIO 67

Ejemplo: No he encontrado ***ningún*** disfraz que me quede bien.
– ¿***Ninguno***? No es posible.

1. Ana, aquí están las plantas, pero _______ es como la que quieres.
2. ¡Qué pena! No hay _______ asiento libre!
3. Uds. no tienen _______ sentido del humor.
4. ¿Han visto Uds. _______ símbolo de amistad tan bello como éste?
   – No, nunca hemos visto _______ como éste.
5. Puede cambiar su dinero en _______ banco y a _______ hora entre las nueve y las tres.
6. Nicolás, ¿qué consejos tienes para mí?
   – Lo siento, pero no tengo _______.
7. ¡Daría _______ cosa por saber la verdad!
8. Como no sabes qué bocadillo quieres, te daré _______.

VOCABULARIO

EJERCICIO 68

Ejemplo: ¿Quiénes ***dieron a conocer*** la yerba mate al resto del mundo?

1. ¿Por qué _______ cuando estaba hablando contigo ayer?

2. La _______ entre Ricardo y Clemencia no es nueva, viene de muchos años _______.

3. Nos encanta ver películas en nuestro televisor, porque la _______ es muy grande.

4. Anoche, los Salgado llegaron _______ antes del comienzo del espectáculo.

5. ¡Me dijiste que habías puesto azúcar en mi café, pero todavía está _______!

6. ¿Qué te parece la noche?
– ¡Está tan _______ con tantas _______!

pantalla
sabor
estrellas
probar
dar a conocer
atrás
apasionante
ponerse blanco
justo
amistad
bella
amargo
liceo

7. Si me preguntaras, te aconsejaría que volvieras al _______ para terminar tus estudios.

8. Sr. Linares, siempre les recomiendo a mis clientes que _______ el programa antes de comprarlo.

9. ¿Cuál es tu _______ preferido de helado?

10. Nunca antes había leído un libro con un tema tan _______ como éste.

EN EL MERCADO DE ANTIGÜEDADES

Manuel Salgado pasó una mañana de domingo en el mercado de antigüedades La Lagunilla, en la ciudad de México. Allí se puede encontrar de todo: muebles viejos, ropa nueva o usada, discos, libros, etc. Manuel, que colecciona relojes antiguos, se paró delante de un puesto y le habló al vendedor.

Manuel: ¿Cuánto pide por este reloj?

Vendedor: 1.000 pesos, señor. Es de los años 30.

Manuel: ¿Qué me dice? ¿1.000 pesos? Este reloj no funciona. Si funcionara, quizás pagaría eso. Le doy 500 pesos.

Vendedor: ¡Ni modo! ¿Está Ud. bromeando? ¡Es un reloj excepcional! Si fuera a cualquier otro puesto pagaría el doble. ¡Por 900 pesos es suyo!

Manuel: ¡Ni hablar! Además, no sé cuánto tendría que pagar por la reparación. Le ofrezco 700 pesos, nada más.

Vendedor: No puedo aceptar menos de 800 pesos. Si lo hiciera, perdería dinero.

Manuel: 800, hum ... Bueno, de acuerdo ... A ver, 600 ... 700 ... aquí tiene, 800 pesos.

Vendedor: ¡800 pesos! Créame, es una ganga. Muchas gracias, señor.

"Fantástico", pensó Manuel, poniendo el reloj en un bolsillo de su pantalón. "Un reloj así costaría normalmente más de 1.400 pesos." Poco después se paró delante de un puesto donde una señorita estaba vendiendo billeteras.

Vendedora: ¡Mire, señor, son estupendas! ¡Son de cuero, y sólo por 60 pesos!

Manuel: ¿Son de cuero? ¿De veras?[1]

Vendedora: Por supuesto, todo de cuero.

Manuel: Bueno, compraría una si fueran más baratas. ¿Qué tal por 40?

Vendedora: Hecho. 40 pesos. Aquí la tiene.

Manuel: Muchas gracias.

Manuel pagó y guardó[2] la billetera. Después se paró delante de un vendedor de churros[3] y le pidió tres. Cuando metió las manos en los bolsillos para sacar dinero sólo encontró ... el reloj antiguo ... ¡y una billetera nueva vacía!

[1] *de veras = de verdad*
[2] *guardar = aquí, meter*
[3] *churros = pasta de pan y azúcar frita*

EJERCICIO 69

1. ¿Dónde pasó Manuel una mañana de domingo?
2. ¿Por qué se interesó en el reloj?
3. ¿Cúanto pagaría Manuel si el reloj funcionara?
4. ¿Cuánto dijo el vendedor que tendría que pagar Manuel si fuera a cualquier otro puesto?
5. ¿Por qué pensó Manuel que fue una ganga lo que había pagado por el reloj?
6. ¿Qué tipo de billetera compró en el otro puesto?
7. ¿Qué hizo después de comprarla?
8. ¿Qué descubrió Manuel cuando quiso pagar los churros?

IMPERFECTO DE SUBJUNTIVO Y CONDICIONAL

Los García quieren vivir en Alemania, pero no hablan alemán.
→ Si los García **hablaran** alemán, **vivirían** en Alemania.

Ana prefiere almorzar con Juan, pero tiene una reunión con el jefe.
→ Si Ana no **tuviera** una reunión con el jefe, **almorzaría** con Juan.

EJERCICIO 70

Ejemplo: No estudio matemáticas porque no me gustan las ciencias.
Si me gustaran las ciencias, estudiaría matemáticas.

1. Laura, no te llevo al aeropuerto porque no conozco la ruta.
2. Los Pérez no irán al centro comercial porque su coche no funciona bien.
3. No seguiré coleccionando más antigüedades porque cuestan mucho.
4. No podemos quedarnos hasta más tarde. Mañana tenemos que despertarnos temprano.
5. Verónica se pone triste cuando Uds. no la invitan al cine a menudo.
6. Enrique no les ayuda con la mudanza porque no se siente bien.
7. El Sr. Segura no te contrata porque no tienes bastante experiencia.
8. El cuarto no es fácil de amueblar porque es muy pequeño.
9. Las muchachas no se prueban los vestidos porque no tienen tiempo.
10. En el verano no vienen tantos turistas como antes porque los precios de los hoteles aumentan cada vez más.

POR • PARA

POR

motivo	Elena fue **por** pan a la panadería.
tiempo	Vivimos aquí **por** 5 años. / Manejo a 60 km **por** hora.
pasiva	*Ficciones* es un libro escrito **por** Borges.
intercambio	Pagué 60 pesos **por** los zapatos.
medio	Pasamos **por** Segovia cuando íbamos a Madrid.

PARA

destino	Raúl se fue **para** su casa a las 5.00. / Traje este regalo **para** ti.
acción futura	Hay que terminar estos informes **para** el lunes.
opinión	**Para** mí, eso no tiene explicación.
con el infinitivo	Compré la pelota **para** jugar al fútbol.

EJERCICIO 71

Ejemplo: ***Para*** encontrar la ganga que quieres, tendrás que buscarla ***por*** mucho tiempo.

1. Alberto dio un gran suspiro ________ demostrarles a los demás que estaba aburrido.
2. Fuimos a la tienda ________ escoger una corbata ________ nuestro hijo ________ su graduación.
3. El mate es bebido ________ millones de personas en diferentes países.
4. ¿________ cuándo piensas terminar tu maestría?
5. Inés salió ________ México ________ visitar a su familia.
6. A mucha gente le gusta caminar ________ los centros comerciales ________ comprar diferentes artículos y pagan mucho dinero ________ esto.
7. Yo compraría una de esas mesas antiguas, si Ud. las vendiera ________ menos dinero.
8. Ayer fue un día muy largo ________ el viejo gaucho.
9. Siempre subo al piso donde trabajo ________ la escalera y bajo ________ el ascensor.
10. ¡No estamos de acuerdo contigo! ________ nosotros, ella lo hizo todo ________ amor.

CAPÍTULO 11 – REPASO

Sustantivos:

el caballo
  collar
  cultivo
  gaucho
  pueblo

la estrella
  ganga
  hoja

las joyas

Verbos:

cultivar
datar
demostrar
hacerse
satisfacer

¿Qué es La Lagunilla?
– La Lagunilla es un mercado de antigüedades en la ciudad de México.

¿Qué tipo de colección tiene Manuel Salgado?
– Tiene una colección de relojes antiguos.

¿Qué hizo el Sr. Salgado cuando vio que el reloj no funcionaba?
– Empezó a regatear con el vendedor.

¿Cuánto tendría que pagar Manuel si consiguiera el reloj en otro puesto?
– Si lo consiguiera en otro puesto, tendría que pagar hasta el doble.

¿Qué constituye un símbolo de amistad entre los consumidores del mate?
– Pasar de boca a boca el recipiente donde toman el mate constituye un símbolo de amistad entre ellos.

¿Conoce Ud. alguna planta que tenga propiedades medicinales / que sea energética?
– Sí, conozco algunas.
  No, no conozco ninguna.

¿Qué sabor de helado le gusta a Ud. más?
– Me gusta cualquier sabor.
  Me gusta cualquiera.

¿Qué hizo Ud. ayer?
– Ayer pasé por la joyería para comprar un anillo de oro para mi madre por su cumpleaños. Hice un buen negocio porque solamente pagué … por el anillo.

Expresiones:
¡Ni modo!
¡Ni hablar!
¿Está Ud. bromeando?

CAPÍTULO 12

VISITANDO LA FERIA DE SEVILLA

Tomás Camejo, de Caracas, viaja mucho en avión por su trabajo. Gracias al programa de viajero frecuente recibió dos pasajes gratis para ir a España. Él y su esposa han decidido ir a Sevilla para conocer la Feria de Abril, y ahora están en el avión. Mientras la Sra. Camejo duerme, otro pasajero le habla al Sr. Camejo.

Pasajero: ¿De vacaciones, señor?

Sr. Camejo: Sí, vamos a pasar siete noches en Sevilla.

Pasajero: ¡Olé! Van a ver Uds. una de las maravillas del mundo.

Sr. Camejo: Parece que le gusta bastante esa ciudad. ¿Es Ud. de Sevilla?

Pasajero: Sí, de Sevilla soy, del barrio de Triana, donde tiene lugar la Feria todos los años al lado del río Guadalquivir.

Sr. Camejo: Precisamente para allá es que vamos. He oído decir que es estupenda. ¿Es cierto?

Pasajero: ¡Es fantástica! Y después que la vea, nunca la olvidará. Verá gente de toda España, no solamente de Sevilla. Muchos se visten con trajes flamencos y cantan y bailan toda la noche.

Sr. Camejo: Ah, entonces, ¿se celebra solamente durante la noche?

Pasajero: No, ¡qué va! Por el día también. Si Uds. quieren, por ejemplo, ver el paseo de caballos, deberán ir por las mañanas.

Sr. Camejo: Y por las tardes, ¿qué se puede hacer?

Pasajero: Por las tardes no deben perderse las corridas de toros.

Sr. Camejo: Bueno, ¿qué otras cosas me recomienda?

Pasajero: Que pase por la puerta principal de la Feria. ¡Qué cosa tan bonita! Todos los años se pone allí la réplica de uno de los monumentos de la ciudad, como la Torre de la Giralda o la Plaza de España.

Sr. Camejo: ¡Qué interesante! Tengo entendido que mañana es la inauguración de la Feria. ¿Cómo es?

Pasajero: ¡Ésa es la mejor parte! ¡Una maravilla, ya verá! Es mañana a las 12.00 de la noche. Hasta esa hora las calles de la Feria tendrán las luces apagadas y, de repente, se encenderán.

Sr. Camejo: Vaya, parece que hay mucho que hacer y se descansa poco. Está bien que mi esposa duerma ahora.

Pasajero: Sí, que duerma ahora, pues luego no tendrá tiempo.

EJERCICIO 72

1. ¿Cómo recibió el Sr. Camejo pasajes gratis para ir a España?

2. ¿Qué van a hacer los Camejo en Sevilla?

3. ¿Dónde se celebra la Feria todos los años?

4. ¿Qué se puede hacer en la Feria durante el día?

5. ¿Por dónde le recomienda el sevillano al Sr. Camejo que pase? ¿Por qué?

6. ¿Cuál es la mejor parte de la Feria según el sevillano?

REPASO DE TIEMPOS VERBALES

EJERCICIO 73

Escoja el tiempo verbal correcto.

1. Hasta ahora, los profesores no _______ a conocer el resultado de los exámenes. *(dar)*

2. ¿Quién te dijo que nosotros _______ nuestro dormitorio hace dos días? *(pintar)*

3. ¿Qué _______ yo si no te tuviera en estos momentos tan difíciles? *(hacer)*

4. Uds. me prometieron que esto no _______ más. *(ocurrir)*

5. Alfonso dice que él ya _______ en el teatro en varias ocasiones, pero que todavía no _______ ningún premio. *(actuar / recibir)*

6. Ayer, Graciela y Fernando me explicaron la razón por la que ellos no me _______ durante sus últimas vacaciones. *(escribir)*

7. Juan, ¿qué dirías si tú _______ que yo solamente estaba bromeando contigo? *(saber)*

8. Anoche, mi vecino me contó que él _______ una magnífica colección de libros antiguos en una librería colombiana. *(descubrir)*

9. ¿Esperaban Uds. que hoy nosotros también _______ a la corrida de toros? *(ir)*

10. En ningún momento dudé que tu novela _______ tan buena. *(ser)*

11. Fue una lástima que tu primo no _______ éxito con su último libro. *(tener)*

12. María te pidió que _______ las luces del jardín y que _______ el coche en el garage. *(apagar / guardar)*

EJERCICIO 74

Ejemplo: Para ese puesto, tengo la experiencia **a mi favor**, pero también tengo la edad ***en mi contra***.

1. Si Uds. quieren ver algo realmente _______, no se pierdan la inauguración de la feria. Les prometo que no se sentirán **aburridos** en ningún momento.
2. El **propietario** del Edificio Foxas siempre les pide a los nuevos _______ tres meses de depósito.
3. Orlando, si no _______ tanto dinero en tus famosas colecciones, podrías **ahorrar** más para comprar el coche que tanto necesitas.
4. Por favor, ¡vamos **afuera** al jardín! Aquí _______ hay mucha gente.
5. Finalmente, los Torres eligieron una casa **cercana** al colegio de su hijo, pero un poco _______ del lugar donde trabajan.
6. ¡Es increíble que la _______ y el **aire acondicionado** estén incluidos en el alquiler!
7. ¿Por qué no te cambias tus zapatos por otros más _______? Ésos están completamente **mojados**.
8. Todos los días, Rosa les pide a los niños que **apaguen** el televisor antes de salir para jugar con sus amigos, pero siempre lo dejan _______.
9. Definitivamente tenemos gustos diferentes. A ti te gusta lo _______ y a mí lo **moderno**.
10. ¡Tus problemas **mayores** son _______ comparados con los míos!

Si hay algún lugar en el mundo donde las emisoras locales de radio son realmente importantes para la gente, ese lugar es Latinoamérica, especialmente en las zonas rurales del Caribe, Sudamérica y Centroamérica. La radio local puede ser para estos lugares el único medio de contacto con el mundo exterior.

En numerosas regiones de Sudamérica, por ejemplo, en los Andes, la existencia de buenas comunicaciones es bastante difícil, porque la televisión, el teléfono y, a veces, la electricidad no llegan a pueblos pequeños. Por esta razón, la radio local se encarga de informarles sobre el país y el resto del mundo y, también, de emitir mensajes y anuncios que la gente necesita sobre funerales, bodas, fiestas, eventos sociales, etc.

Para muchas de estas emisoras, estos mensajes son el único medio que tienen para financiarse. Obviamente, estas emisoras de radio son de muy bajo costo, utilizan mínima tecnología y emiten desde pequeños estudios. El costo para ponerlas en funcionamiento es relativamente pequeño. Todo lo que se necesita es un barato transmisor situado en una colina[1] en las afueras del pueblo, una conexión con el estudio y un par de habitaciones con micrófonos, un equipo estéreo básico y una colección musical que interese a los oyentes.

Las horas de emisión son similares a las de cualquier otra emisora profesional, desde la madrugada hasta la medianoche. Pero como la tecnología es poco sofisticada, están obligados a hacer frecuentes reparaciones y la emisora de radio puede quedar cerrada por varias semanas. Es una pequeña catástrofe en lugares donde la radio local es parte de la vida misma.

En muchísimos lugares de Latinoamérica tener un pequeño transistor a mano es casi una tradición. Incluso en zonas donde la televisión está presente, la radio gana en popularidad. El pequeño transistor estará en cualquier lugar adonde se vaya. Estará en el bar, en el restaurante, en la tienda, en el taxi, en todas las casas ... en cualquier parte.

[1] *colina = elevación natural, menor que una montaña*

EJERCICIO 75

1. Las emisoras locales de radio son el único medio de informar a la gente en las zonas ________.
   a) residenciales de la ciudad
   b) rurales de diferentes países
   c) comerciales

2. La tecnología usada por las emisoras remotas es ________.
   a) sofisticada
   b) bastante moderna
   c) mínima y de bajo costo

3. Cuando la emisora necesita hacer reparaciones del equipo, ________.
   a) puede quedar cerrada por un tiempo relativamente largo
   b) puede resolver el problema rápidamente
   c) puede cerrar indefinidamente

4. En muchos lugares de los países latinoamericanos, tener un transistor ________.
   a) es muy difícil
   b) no es necesario
   c) es casi una tradición

VOCABULARIO Y EXPRESIONES

EJERCICIO 76

Ejemplo: Esta mañana la radio local anunció que en cualquier momento cerrarán la fábrica donde trabajamos.
– ¿Estás ***bromeando***?

ni modo
tan bonita
ganga
ninguna
bromeando
se pierdan
querido amigo
lo van a pasar
gracias a
sería un honor
tengo entendido

1. Amelia, ya conseguí a alguien para que te arregle el coche.
   – Ah, ________,¿qué haría yo sin ti?

2. ¿Cómo fue que Javier decidió terminar sus estudios?
   – ________ los consejos de sus amigos.

3. ¿Te gustaría dar a conocer los componentes de tu nuevo invento?
   – ¡________!

4. Mañana asistiremos a la inauguración de la feria.
   – ¡Ya verán lo bien que ________!

5. ¿Has elegido alguna asignatura de ciencias para este año?
   – No, ________.

6. Mis amigos no han podido ver la corrida de toros todavía.
   – ¡Olé! Espero que no ________ algo tan tradicional.

7. Sr. Duarte, le apreciaríamos mucho si Ud. nos ayudara con la dirección de la empresa.
   – Para mí, ________.

8. ¡Pero, señor, Ud. está pidiendo demasiado por esta réplica!
   – Créame, señora, por este precio es una ________.

9. Aún no he tenido la oportunidad de visitar el nuevo mercado de antigüedades.
   – ¡________ que se pueden encontrar muchas cosas baratas!

10. ¿Viste la máscara que compré en el Museo de Arte Popular?
    – Sí, ¡qué cosa ________!

CRUCIGRAMA

EJERCICIO 77

Horizontales →

1. Por favor, baja el ____ del radio.
5. T – Ésta es la letra ____.
7. Río de Italia.
9. Orlando Sánchez
10. Se ve en la pantalla de la computadora.
12. No es un teatro, es un ____.
14. Raúl es mi mejor ___-go.
15. Estación de radio.
16. ¡Cuesta un ____ de la cara!
18. Contrario de *dulce*
20. Exacto
22. Se oye en la corrida de toros.
23. Artículo
24. Necesito ____ ____ la tienda.
25. Verbos en -____, -er, -ir.
26. ¿El libro? No ____ ponga ahí, por favor.
27. Etcétera
29. No olvides apagar la ____.
31. ¡Qué barato es! Es una ____.
33. El piano y la computadora las tienen.
36. Lo mismo que el 9.
37. El ____-fecto no es difícil.
39. Este tren va ____ Madrid.
41. En ese ____, iremos temprano.
42. El mate es un ____.
43. Tienen efectos medicinales.

Verticales ↓

1. Se juega en el televisor.
2. Escuelas secundarias
3. Sinónimo de *televisor*
4. La palabra asustar tiene dos ____.
5. ¡Me gusta ____ idea!
6. Verbos en -ar, -____, -ir.
7. Por orden médica.
8. Río de Sudamérica
10. Los ojos están en la ____.
11. Pronto yo ____ la verdad.
13. Imelda Marcos
17. Ellas van ____ a la tienda.
19. Contracción de *a* y *el*.
21. Tengo un regalo para ____.
25. En México, el pueblo ____ construyó varias pirámides.
28. Carretera Nacional
30. Los rascacielos son edificios muy ____.
32. ¡Abra la ventana, necesito ____!
34. ¿Dónde vivías cuando ____ pequeña?
35. No volví a las 8.00, ____ a las 9.00.
38. Cuba está en el ____ Caribe.
40. ¡____, qué fastidio!

Sustantivos:

el (equipo) estéreo
estudio
matador
oyente

la emisora
estación
madrugada

Verbos:

romper
tener entendido

¿Habían los Camejo visitado la Feria de Sevilla antes de este viaje?
– No, nunca antes la habían visitado.

¿Cómo es considerada la Feria por los sevillanos?
– Es considerada como una de las maravillas del mundo.

¿Qué ha oído decir el Sr. Camejo de la Feria?
– Ha oído decir que es estupenda.

¿Qué evento no se deben perder por las tardes?
– No se deben perder las corridas de toros.

¿Hasta qué hora están apagadas las luces de las calles de la Feria (en) el día de la inauguración?
– Están apagadas hasta las doce de la noche.

¿De qué se encarga la radio local en las zonas rurales de los países latinoamericanos?
– Se encarga de poner estos lugares en contacto con el mundo exterior. También se encarga de emitir mensajes y anuncios sobre diferentes eventos que la gente necesita saber.

Expresiones:

¡Olé!
¡Qué va!
¡Qué cosa tan bonita!
¡Ésa es la mejor parte!

EJERCICIOS DE COMPOSICIÓN

Capítulo 1

A. ¿Qué hizo Ud. esta mañana? Escriba 5 o 6 frases usando estas palabras:

despertarse	sonar a las ...	poder
tarde	enseguida	desayuno
despertador	prepararse	llegar a tiempo

B. Uno de sus colegas vendrá a su ciudad en viaje de negocios. Ud. le da algunos consejos. Escriba 5 o 6 frases usando estas palabras:

con mucho gusto	es mejor que	el museo
desear que	quedarse	visitar
venir a mi casa	aconsejar	pedirle que

Capítulo 2

A. ¿Qué hacías tú cuando eras pequeño/a, cuando tenías 8 años? Escribe 5 o 6 frases usando estas palabras:

vivir con	gusta	cumpleaños
ir a	siempre	con mis amigos
escuela	celebrar	regalos

B. Escribe una carta a un amigo agradeciéndole su regalo y también por venir a tu boda. Escribe 5 o 6 frases usando estas palabras:

agradecer	bailar	parientes
celebrar	pasarlo bien	amigos
la boda	encontrarse	contento/a

Capítulo 3

A. ¿Qué recados va a hacer mañana? Conteste esta pregunta en 5 o 6 frases usando estas palabras:

tener tiempo	tintorería	por último
cambiar dinero	limpiar	la gasolinera
banco	tienda de fotos	llenar

B. Ud. quería visitar a un colega pero se perdió. Explíquele lo que pasó. Use estas palabras en 5 o 6 frases:

manejar	a ... kilómetros de	indicar
carretera	las afueras	camino
salida	preguntar	encontrar

Capítulo 4

A. Escríbale una carta a su amiga y dígale de su entrevista de trabajo. Use estas palabras en 5 o 6 frases:

leer	solicitar	jefe de personal
anuncio	empleo	experiencia
puesto	entrevista	sueldo

B. Escriba sobre una compañía que conozca bien. Use estas palabras en 7 u 8 frases:

empresa	producto	mercado
fábrica	popular	exportar
norte / sur	considerar	continuar

Capítulo 5

A. Escriba sobre el verano en su país y lo que se hace. Escriba 6 o 7 frases usando estas palabras:

hace sol	mar	caminar
hace calor	bañarse	montar en bicicleta
excursiones	tomar sol	bebidas frías

B. Hable con un amigo sobre el partido de *(fútbol)* que vio anoche. Use estas palabras en 6 o 7 frases:

partido	jugadores	espectadores
jugar	de maravilla	ganar
comenzar	emocionante	alegrarse que

Capítulo 6

Describa la última vez que fue a bailar. Escriba 5 o 6 frases usando estas expresiones y palabras:

tener ganas	cercano	despacio
encontrarse	música	parejas
bailar	dulce	prometer

Capítulo 7

A. ¿Qué piensa Ud. del problema del aumento de la población mundial? Escriba 6 o 7 frases usando estas palabras:

ciudades	alternativas	arquitecto
espacio	proponer	diseñar
inhabitado	construir	rascacielos

B. Escríbale una carta a un/a amigo/a y cuéntele del nuevo apartamento que Ud. acaba de alquilar. Use estas palabras en 6 o 7 frases:

edificio	dormitorios	arriba / abajo
céntrico	lo malo es	balcón / jardín
da a ...	muebles	gimnasio

Capítulo 8

A. Describa en 5 o 6 frases la última vez que Ud. asistió a un espectáculo teatral. Use las palabras siguientes:

hace ... días	actores	dramático
obra de teatro	actuar	reírse / llorar
nunca antes	cómico	aplaudir

B. Describa una de las tradiciones celebradas en su país cada año. Escriba 5 o 6 frases usando estas palabras:

tener lugar	cultura	reunirse
costumbre	músico	afuera / adentro
distinto	interpretar	fiesta

Capítulo 9

Ud. le recomienda a una amiga que vea la nueva telenovela que empezará la semana próxima y que Ud. ya ha visto antes. Escriba en 5 o 6 frases esta conversación usando estas palabras:

programa	apasionante	descubrir
canal	ocurrir	increíble
hace ... años	urgente	resolver

Capítulo 10

A. Ud. está contándole a su amigo de lo bien que lo pasó en la fiesta típica de carnaval del país que visitó en sus vacaciones. Escriba 6 o 7 frases usando las siguientes palabras:

desfiles	pintar	monstruo
máscaras	vivos colores	asustar
disfraces	bello	divertido

B. A Ud. le gustaría continuar sus estudios y le explica a un/a amigo/a sus planes. Escriba 6 u 8 frases usando estas palabras:

perspectiva	asignatura	servir
estudiante	elegir	carrera
universidad	maestría	superar

Capítulo 11

Ud. fue al mercado de antigüedades la semana pasada. Escriba 6 u 8 frases describiendo su día:

puesto	excepcional	regatear
antiguo	ninguno/a	(des)honesto
datar	coleccionar	ganga

Capítulo 12

A. Si Ud. pudiera vivir y trabajar en un país donde se habla español, ¿lo haría Ud.? Explique por qué en 6 u 8 frases usando estas palabras:

para mí	experiencia	tengo entendido
oportunidad	increíble	costumbres
además	descubrir	cierto

B. Ud. acaba de terminar este programa de español de Berlitz. Le dice a un amigo cómo le fue durante sus clases. Escriba 6 u 8 frases usando estas palabras:

al principio	nivel	útil
idioma	elemental	tener éxito
fácil / difícil	avanzado	perspectiva

RESPUESTAS

Ejercicio 1 1. Se despierta tarde porque el despertador no sonó. 2. Antes de vestirse se ducha y se lava los dientes. 3. Después de vestirse llama un taxi. 4. Mete la mano en el bosillo para estar seguro que tiene todo lo que necesita. 5. Les llevó veinte minutos llegar al aeropuerto. 6. Su vuelo saldrá a las 10.45.

Ejercicio 2 1. lavarnos 2. se quedaron 3. Siéntense 4. peinarse 5. preparándose 6. se fue 7. se acostará 8. poniéndome 9. quítense 10. me desperté

Ejercicio 3 1. Va al consultario a las tres de la tarde. 2. Le duele la cabeza. 3. No se siente bien desde ayer por la noche. 4. No, no pudo ir a trabajar. 5. Le aconseja que se quede en cama hasta el jueves y descanse. 6. Tiene que tomarla tres veces al día, después de cada comida.

Ejercicio 4 1. consultorio 2. bigote 3. pacientes / buen 4. rubio 5. baja 6. recetas / se queda

Ejercicio 5 1. pagar 2. veamos 3. asistamos 4. quedarse 5. se mejore 6. llegar 7. coma 8. beber 9. vaya 10. tengan

Ejercicio 6 1. Se encontró con Isabel Castedo. 2. Hacía más de cinco años que no se veían. 3. Estaba con su novio Luis. 4. Se conocieron en Barranquilla. 5. Perdieron contacto porque Isabel se mudó a Bogotá. 6. Decidieron ir al mismo restaurante donde antes cenaban juntas después de salir del cine.

Ejercicio 7 1. íbamos 2. empezábamos 3. salían 4. escribía 5. se acostaba 6. esperaba

Ejercicio 8 se hicieron / eran / Vivían / tenían / iban / almorzaban / se encontraban / preguntó / contestó / llamé / había / esperaba / Decidió / estaba / tenía / miró / vio / abrió / dijo / comprendió / estaban / dijeron

Ejercicio 9 1. nos hablamos 2. se escribían 3. se dijeron / se vieron 4. nos ayudaremos 5. se darán / se compraron 6. se conocen

Ejercicio 10 1. No dejó un recado porque quería hablar con Fernando y no con el contestador. 2. Volvió a llamarlo para invitarlos a él y a su novia a una fiesta. 3. Fue una sorpresa porque hacía tiempo que Luis no lo llamaba. 4. Van a celebrar su primer aniversario de bodas. 5. Ese mismo día será el cumpleaños del padre de Luis. 6. Invitó a veinte personas, más o menos.

Ejercicio 11 1. tienes 2. perdiste 3. pasabas; eras 4. vuelvas 5. vendrás 6. estás 7. olvida 8. gustaba 9. te levantarás 10. estás / te quedes / descanses

Ejercicio 12

– ¡Manuel! ¿Cómo estás? Hace casi un año que no te veo. ¿Qué tal están tu esposa y tus hijos?

– ¡Qué sorpresa, Arturo! ¿Cómo te va? Todos estamos bien. Mis hijos ya asisten a la universidad. ¿Y los tuyos?

– Los míos aún son muy jóvenes. ¿Dónde vives ahora?

– Hace poco nos mudamos a Cartagena. ¿No tenías un hermano allí?

– Sí, mi hermano Luis. ¿Lo conoces?

– Sí, ¿no recuerdas que lo conocí el año pasado, un día que vino a la oficina contigo?

– ¡Claro que sí! Si quieres, puedo darte su número de teléfono. Él vive en Cartagena desde hace varios años y te puede presentar a algunos de sus amigos.

– ¡Qué bien! ¡Te agradezco mucho todo esto! Me gustaría ponerme en contacto con él y también hacer nuevos amigos.

Ejercicio 13

1. Llegó de Argentina. 2. Fue al banco porque le gustaría abrir una cuenta corriente. 3. Quería abrirla con 1.000 pesos argentinos. 4. Consiguió su cédula de identidad. 5. Trajo 200 pesos argentinos. 6. Se puede hacer depósitos y retirar dinero. 7. Comprobó que todo estaba bien. 8. Quería ir de compras.

Ejercicio 14

1. Es un centro comercial. 2. Está en el segundo piso. 3. Se puede mandar a revelar fotos a Foto-click. 4. Se puede encontrar comida internacional en el supermercado Comprebién.

Ejercicio 15

1. Haremos las compras cuando vayamos al centro comercial. 2. Alfredo y Juan nos esperarán aquí después de que salgan del cine. 3. Tengo que hacer muchos recados antes de que mis amigos vengan a las tres. 4. ¡No firmes el formulario hasta que compruebes que todo está bien! 5. Uds. se divertirán mucho cuando estén en la playa por una semana. 6. ¿Quieres pasar por la panadería antes de que la cierren en unos pocos minutos? 7. Será más fácil para Paula retirar dinero de su cuenta cuando tenga la tarjeta del cajero automático. 8. Recuerda llamar a tu hermana después de que ella vuelva de sus vacaciones en dos días. 9. Tenemos que quedarnos aquí hasta que ellos nos digan cuándo podemos irnos. 10. ¡Habla con Lorenzo antes de que se vaya de vacaciones este fin de semana!

Ejercicio 16

1. Estaba a 100 kms. de Madrid. 2. Decidió gastarlo en un gazpacho bien frío, un bistec con vegetales y mayonesa, y un estupendo helado de vainilla y chocolate. 3. Estuvo parado en la carretera más de hora y media. 4. Se paró un coche deportivo rojo.

Ejercicio 16 *(continuación)* 5. No estaba mirando la carretera porque estaba buscando una cassette detrás de su asiento. 6. Lo gastará en un billete de autobús con asiento confortable y seguro. 7. Lo paró porque iba demasiado rápido. 8. Era claro que tenía que encontrar otro compañero de ruta.

Ejercicio 17 1. Cuando Paco estaba hablando con su cliente, recibió una llamada. 2. Yo estaba desayunando mientras mi hermano se estaba duchando. 3. Ana y Luis estaban de compras cuando su primo llegó. 4. Mientras nosotros estábamos caminando por el parque Sara estaba trabajando. 5. Tú estabas mirando unos vestidos cuando la empleada te preguntó si necesitabas ayuda. 6. ¿Qué estabas haciendo ayer cuando Esteban te llamó? 7. Juan y yo estábamos tomando un aperitivo cuando el camarero trajo la ensalada. 8. Los empleados estaban comiendo en la cafetería mientras los jefes estaban preparando una reunión. 9. Cuando nosotros llegamos a su casa, Ud. no estaba haciendo la maleta. 10. Andrés estaba escuchando un disco mientras tú estabas leyendo el periódico.

Ejercicio 18 1. las afueras 2. distancia 3. regalo 4. revelar 5. autopista 6. camino 7. cajero automático 8. pare 9. tanque 10. segura; frenos

Ejercicio 19 1. Necesita un empleado para el puesto de contador. 2. Está hablando con él porque ella contestó el anuncio de empleo. 3. Trabajaba en una empresa en Buenos Aires. 4. Estaba encargada de organizar los datos financieros que les llegaban de las sucursales. 5. Porque le gustaría tener más responsabilidades y más oportunidades de usar los tres idiomas que sabe. 6. Conoce bien Lotus 1-2-3, Excel y también sabe trabajar con Access. 7. Usaba su inglés cuando atendía a los clientes de Inglaterra. 8. No, no lo sabe, porque al Sr. Quintero aún le falta entrevistar algunos candidatos más.

Ejercicio 20 1. sea 2. dé 3. termine 4. se ocupen 5. tengamos 6. compren 7. pueda 8. abran 9. venga 10. encuentre 11. salgamos 12. consiga 13. soliciten 14. vayan

Ejercicio 21 1. retirar 2. levantarme 3. mandan 4. ventas 5. se vayan 6. ligero 7. vacío 8. las afueras 9. entrada 10. tiempo completo 11. olvides 12. peligroso

Ejercicio 22 1. Se produce en un triángulo de tres ciudades: Jerez, Puerto de Santa María y San Lúcar de Barrameda. 2. Viene del árabe "sherish". 3. Se empezó a exportar en el siglo XV. 4. Se exportaba desde el puerto de Cádiz. 5. Se conocía con el nombre de Ceret. 6. Dijo que era "el aperitivo más civilizado del mundo". 7. Se hizo

Ejercicio 22 *(continuación)* internacionalmente popular en el siglo XVII. 8. Se usan tres tipos de uvas: Palomino, Pedro Ximénez y Moscatel.

Ejercicio 23 1. fácilmente 2. rápidamente 3. típicamente 4. Personalmente 5. igualmente 6. Últimamente 7. generalmente 8. Finalmente

Ejercicio 24 1. No se preocupe. 2. Me parece que en marzo. 3. Tenga la bondad de tomar asiento. 4. ¿Qué te duele? 5. Es Ud. muy amable. 6. Sí. ¿A cuánto está el cambio? 7. ¡Caramba, muchas felicidades! 8. Pero, ¡Ud. mismo! 9. ¡Ojalá que sea pronto! 10. Sí, con mucho gusto.

Ejercicio 25 1. Les gustaría a los aventureros. 2. Hace calor. 3. Centroamérica, desde Guatemala hasta Panamá, es interesante si quiere estar en contacto con la naturaleza. 4. Se puede esquiar en los Andes de Bolivia. 5. Puede ir a las costas de México. 6. Los países que están cerca de la línea del ecuador tienen un clima tropical todo el año. 7. Se necesita tener cuidado con las jaguares en las junglas de Centro América. 8. Se pueden encontrar en las aguas de las Islas Galápagos.

Ejercicio 26 1. nos encontremos 2. pasemos 3. sea 4. pueda 5. tengas 6. vivan 7. vayan 8. necesite

Ejercicio 27 A. 1. Hará sol en Riberalta. 2. Nevará en Sucre. 3. Lloverá en Puerto Suárez y en Tarija. 4. Estará nublado en La Paz.

B. nublado; viento; frío; sol; tiempo; nubes; llover

Ejercicio 28 1. está 2. tener 3. hace 4. estaba 5. tienes 6. hacía; estaba 7. hará 8. tenían 9. está 10. tienes

Ejercicio 29 1. Tiene lugar en la Escuela Simón Bolívar. 2. No los puede ver algunos sábados porque tiene que trabajar. 3. Tomás lo vio. 4. Está preocupado porque duda que su hijo y el hijo de Tomás tengan bastante tiempo para estudiar con tantos partidos. 5. Les queda casi un mes. 6. Hoy juegan contra el de la Escuela San Rafael. 7. Tomás no cree que sea fácil que ganen. 8. Lo marcó el equipo de la Escuela Simón Bolívar.

Ejercicio 30 1. hasta; para; sobre 2. con; para; a; en 3. con; por; a; para 4. de; al; por 5. Entre; de; por 6. entre; Según; de

Ejercicio 31 1. Empezó a llover; siguió lloviendo; Dejó de llover; volvió a llover; acabó de llover 2. Empecé a fumar; dejé de fumar; volví a fumar; seguí fumando 3. Empezaron a escribir; acabaron de escribirlas; volvieron a escribir; siguieron escribiéndolas; acabaron de escribir

Ejercicio 32 1. pueda 2. gane 3. tenga 4. se queden 5. marque 6. dé 7. venga 8. guste

Ejercicio 33 1. b 2. c 3. a 4. b 5. c

Ejercicio 34 1. fin de semana 2. a tiempo completo 3. está encargado 4. hacer la compra 5. Por lo general 6. tienes razón 7. darnos prisa 8. Poco a poco 9. limpian ... en seco 10. se hagan buenos amigos

Ejercicio 35 1. pelo 2. reparará 3. despertador 4. receta 5. indicó 6. buen 7. canciones 8. salida 9. mezcla 10. se ocupa 11. duele 12. emplee

Ejercicio 36 1. Se mudó a Río de Janeiro hace un par de días. 2. Ella ni escribe ni llama a su familia porque está muy ocupada con la mudanza y no tiene tiempo para nada. 3. La conocerá cuando vaya de vacaciones a Río de Janeiro. 4. Lo tiene que llevar porque no conoce bien la ciudad. 5. Le mostrará toda la ciudad. 6. Le promete escribirle de vez en cuando.

Ejercicio 37 1. se sienta; se sentirá 2. asistirán; asistan 3. puedan; podrán 4. hizo; haga 5. se escriben; se escriban 6. nos reunamos; Nos reuniremos 7. volvamos; volver 8. será; sea 9. interesaban; interesen 10. encontré; encuentre

Ejercicio 38 Horizontales: 1. peligrosa 8. eso 10. amigo 11. El 12. su 13. regalo 15. cajero 16. -igan 18. G.A. 19. dense 22. novios 26. Él 27. Ayer 28. tantos 29. De nada 31. Si 32. vayan 34. reparar 35. Lo

Verticales: 1. par 2. eme 3. liga 4. -iga 5. gol 6. seca 7. al andén 8. ese 9. sur 14. oigo 17. gasta 20. el tuyo 21. sus 22. nadie 23. oye 24. venía 25. ir a 30. día 31. Sr. 33. ni

Ejercicio 39 1. Lo han decidido porque ellos han fijado la fecha para su boda. 2. Les han interesado dos anuncios. 3. No le interesa porque seguramente costará un ojo de la cara. 4. No le da la información porque ya lo han alquilado. 5. Está en el segundo piso. 6. Tiene que pagar el agua, la luz y la calefacción.

Ejercicio 40 1. han amueblado 2. Has estado 3. hemos leído 4. han abierto 5. he comprado 6. ha acompañado 7. ha sido 8. Han pagado 9. se ha casado 10. ha venido

Ejercicio 41 1. he visto 2. llamó 3. han gustado 4. han escrito 5. dijo 6. hizo 7. pusieron 8. ha llovido 9. hemos ido 10. compré

Ejercicio 42 1. a) de la cara 2. b) Por 3. a) Estás seguro 4. c) da a 5. a) un puesto 6. b) Lo malo 7. b) céntrico 8. c) ya

Ejercicio 43 1. Según el texto, será el aumento de la población mundial. 2. Tendrán que buscar alternativas a las ciudades tradicionales. 3. La hemos encontrado con la construcción de los rascacielos. 4. Hemos remodelado o renovado las ciudades viejas. 5. Se considera una excepción porque se construyó lejos de las ciudades más importantes. 6. Su solución preferida sigue siendo los rascacielos.

Ejercicio 44 1. organizado 2. construidas 3. escritos 4. ofrecidas 5. dicha 6. encargada 7. concentrada 8. servido 9. hechos 10. esperado

Ejercicio 45 1. Comenzamos 2. gastos mensuales 3. habitación 4. Dudo 5. departamento 6. Quizás 7. puesto 8. disponible 9. razón 10. despacio

Ejercicio 46 1. Lo invitó porque quería mostrarle algo típico de su país. 2. Dijo que era increíble y que le había gustado mucho. 3. Fueron a una cafetería cercana. 4. Dijo que lo usaban no sólo como bebida, sino como dinero también. 5. Se había bebido así hasta la llegada de los españoles. 6. La necesitó para limpiarse el bigote de chocolate.

Ejercicio 47 1. habíamos puesto 2. había pensado 3. habían dicho 4. había recibido 5. habían hablado 6. habían decidido 7. Habías visto 8. había terminado

Ejercicio 48 1. buenísimo 2. perdida 3. estación 4. amueblado 5. sino que 6. además 7. detalles 8. introduzca 9. sí 10. increíble

Ejercicio 49 1. a 2. c 3. b

Ejercicio 50 1. b) al que 2. c) en los que 3. b) sin los que 4. b) del que 5. a) por el que 6. a) para el que 7. a) para la que 8. c) en las que

Ejercicio 51 1. habías visto este espectáculo antes 2. Esteban y Enrique habían disfrutado mucho de las fiestas tradicionales 3. había hecho todo esto 4. yo había visitado México varias veces pero que nunca me había quedado allí por más de una semana 5. mis amigos y yo habíamos decidido asistir a la Posada del 24 de diciembre 6. les había gustado mucho esta celebración 7. él aún no había escrito el informe de ventas de este mes 8. los Lucas todavía no habían vuelto de sus vacaciones 9. México le había dado el chocolate al resto del mundo 10. Eugenio y Cristina ya se habían casado

Ejercicio 52 1. No pudieron verlo porque estaban encerrados en el ascensor de su edificio. 2. Nadie lo oyó porque de nueve a diez todos los vecinos ven la telenovela y ponen los televisores a todo volumen. 3. Se ha puesto blanco porque él necesita aire. 4. Descubrió que su esposo sufre de claustrofobia. 5. Han pasado poco más de una hora

Ejercicio 52 *(continuación)* en el ascensor. 6. De ahora en adelante él usará las escaleras y no el ascensor.

Ejercicio 53 1. La novela será vista por muchas personas en diferentes países. 2. ¿Cuándo eran los informes preparados por Uds.? 3. Las posadas son celebradas por los mexicanos en diciembre. 4. Ese cuadro fue pintado por El Greco. 5. ¡El alquiler de mi apartamento es aumentado por el propietario cada año! 6. Este edificio fue diseñado por un arquitecto famoso en 1935. 7. ¿Por qué ha sido cambiado el horario de tren? 8. Todo lo que Ud. diga será hecho por nosotros de ahora en adelante. 9. ¿Es bailada la cumbia en Colombia? 10. Muchas excursiones eran organizadas por Roberto en los veranos.

Ejercicio 54 1. ventanita / ventanilla 2. niñita 3. cucharita / cucharilla 4. leccioncita 5. corazoncito 6. abriguito 7. cancioncita 8. papelito / papelillo 9. librito / librillo 10. postrecito 11. cajoncito 12. Miguelito 13. calorcito 14. casita 15. amorcito 16. quiosquito 17. viajecito 18. chiquito

Ejercicio 55 1. Entra en la tienda porque está buscando un programa para su hija. 2. Le muestra un programa educativo de matemáticas. 3. Se ven un reloj y una carita. 4. Se sabe que es correcta cuando la carita en la pantalla se sonríe. 5. Indica cuantas respuestas han sido correctas.

Ejercicio 56 1. Leer 2. Visitar 3. Mirar 4. alquilar / ir 5. Cambiar 6. Levantarme 7. Pasar 8. diseñar 9. fumar 10. Vivir

Ejercicio 57 1. Tan bien 2. la noche en claro 3. Pues sí que 4. A las mil maravillas 5. sobre todo 6. está disponible 7. de mal en peor 8. Ya verán 9. Qué fastidio 10. Fíjate

Ejercicio 58 1. Le hace una entrevista para el periódico del colegio de sus hijos. 2. Hablan de cuando la Sra. Reyes era estudiante. 3. Se interesó en temas económicos. 4. Dice que lo más importante es conseguir que todos trabajen en coordinación y a gusto. 5. Le ayudaría mejorarlo porque su empresa tiene cada vez más contacto con el extranjero. 6. Les aconsejaría estudiar algo que les interese, sin olvidar las perspectivas del futuro.

Ejercicio 59 1. nos quedaríamos 2. haría 3. subiría 4. vendrían 5. recomendaría 6. amueblaría 7. sabrías 8. tendría

Ejercicio 60 1. El arquitecto dijo que el edificio estaría terminado dentro de tres meses. 2. Yo creí que ellos ganarían el premio esta vez. 3. Le prometí a Ud. que saldría a tiempo. 4. ¿Dijeron Uds. que el grupo interpretaría música folklórica? 5. Elena pensó que ella prepararía

Ejercicio 60 *(continuación)* todo para la fiesta. 6. Ricardo se preguntó si sus estudios le servirían de mucho en su carrera. 7. Uds. pensaron que a Armando le gustaría ir de vacaciones a Europa. 8. Nosotros preguntamos si Uds. seguirían nuestros consejos. 9. ¿Creyeron los empleados que les darían otro aumento de sueldo este año? 10. ¿Dijo Ud. que llovería mañana?

Ejercicio 61 1. propietario 2. muebles 3. sonríen 4. regalar 5. cuentos 6. obliguen 7. detalle 8. panadería 9. éxito 10. alquiler

Ejercicio 62 1. b 2. a 3. c 4. a

Ejercicio 63 1. Aurora dudó que su amiga la ayudara con la tarea. 2. Elsa nos dijo que esperáramos un tiempo más largo antes de tomar la decisión final. 3. ¡Sentí mucho que lo obligaran a trabajar durante los fines de semana! 4. ¿No pensaste que Verónica pudiera descubrir la verdad ella misma? 5. Pudo ser que a partir del mes de enero los gastos mensuales aumentaran. 6. Fue posible que Rolando tuviera alguna información escrita para Ud. 7. ¿Qué prefirió Ud. que hiciéramos primero? 8. Fue una lástima que Marisol no viniera al desfile con nosotros.

Ejercicio 64 1. identificara 2. vinieran 3. quiera 4. guste 5. asustara 6. fuera 7. me relacione 8. interpreten 9. dijeras 10. pasemos

Ejercicio 65 1. nunca 2. horas / a 3. quedar 4. haya 5. años 6. Depende Proverbio: "No dejes para mañana lo que puedas hacer hoy."

Ejercicio 66 1. a 2. c 3. b 4. c

Ejercicio 67 1. ninguna 2. ningún 3. ningún 4. algún / ninguno 5. cualquier / cualquier 6. ninguno 7. cualquier 8. cualquiera

Ejercicio 68 1. te pusiste blanco 2. amistad / atrás 3. pantalla 4. justo 5. amargo 6. bella / estrellas 7. liceo 8. prueben 9. sabor 10. apasionante

Ejercicio 69 1. La pasó en el mercado de antigüedades La Lagunilla. 2. Se interesó en el reloj porque colecciona relojes antiguos. 3. Pagaría 1.000 pesos. 4. Tendría que pagar el doble. 5. Pensó que fue una ganga porque un reloj así normalmente costaría más de 1.400 pesos. 6. Compró una billetera de cuero. 7. Se paró delante de un vendedor de churros y le pidió tres. 8. Descubrió que no tenía dinero.

Ejercicio 70 1. Laura, si conociera la ruta, te llevaría al aeropuerto. 2. Si el coche de los Pérez funcionara bien, irían al centro comercial. 3. Si las antigüedades no costaran mucho, seguiría coleccionándolas.

Ejercicio 70 *(continuación)* 4. Si no tuviéramos que despertarnos temprano mañana, podríamos quedarnos hasta más tarde. 5. Si Uds. invitaran a Verónica al cine más a menudo, no se pondría triste. 6. Si Enrique se sintiera bien, les ayudaría con la mudanza. 7. Si tuvieras bastante experiencia, el Sr. Segura te contrataría. 8. Si el cuarto no fuera muy pequeño, sería fácil de amueblar. 9. Si las muchachas tuvieran tiempo, se probarían los vestidos. 10. Si los precios de los hoteles no aumentaran cada vez más, en el verano vendrían tantos turistas como antes.

Ejercicio 71 1. para 2. para / para / por 3. por 4. Para 5. para / para 6. por / para / por 7. por 8. para 9. por / por 10. Para / por

Ejercicio 72 1. Los recibió gracias al programa de viajero frecuente. 2. Van a conocer la Feria de Abril. 3. Se celebra en el barrio de Triana, al lado del río Guadalquivir. 4. Durante el día se pueden ver el paseo de caballos y las corridas de toros. 5. Le recomienda que pase por la puerta principal de la Feria, porque allí se pone la réplica de uno de los monumentos de la ciudad. 6. Según el sevillano la mejor parte es la inauguración de la Feria.

Ejercicio 73 1. han dado 2. habíamos pintado 3. haría 4. ocurriría 5. ha actuado / ha recibido 6. habían escrito 7. supieras 8. había descubierto 9. fuéramos 10. fuera 11. tuviera 12. apagaras / guardaras

Ejercicio 74 1. excitante 2. inquilinos 3. gastaras 4. adentro 5. lejana 6. calefacción 7. secos 8. encendido 9. antiguo 10. menores

Ejercicio 75 1. b 2. c 3. a 4. c

Ejercicio 76 1. querido amigo 2. Gracias a 3. Ni modo 4. lo van a pasar 5. ninguna 6. se pierdan 7. sería un honor 8. ganga 9. Tengo entendido 10. tan bonita

Ejercicio 77 Horizontales: 1. volumen 5. te 7. Po 9. O.S. 10. cursor 12. cine 14. ami- 15. emisora 16. ojo 18. amargo 20. justo 22. olé 23. un 24. ir a 25. -ar 26. lo 27. etc. 29. luz 31. ganga 33. teclas 36. O.S. 37. imper- 39. para 41. caso 42. té 43. yerbas

Verticales: 1. videojuego 2. liceos 3. monitor 4. eses 5. tu 6. -er 7. p.o.m. 8. Orinoco 10. cara 11. sabré 13. I.M. 17. juntas 19. al 21. ti 25. azteca 28. C.N. 30. altos 32. aire 34. eras 35. sino 38. mar 40. Ay

TABLAS DE CONJUGACIONES

VERBOS EN *-AR*: *HABLAR*

Gerundio: habl**ando**
Participio pasado: habl**ado**

	Presente	Pretérito indefinido	Futuro
yo	habl**o**	habl**é**	habl**aré**
tú	habl**as**	habl**aste**	habl**arás**
él / ella / Ud.	habl**a**	habl**ó**	habl**ará**
nosotros	habl**amos**	habl**amos**	habl**aremos**
*vosotros**	habl**áis**	habl**asteis**	habl**aréis**
ellos / ellas / Uds.	habl**an**	habl**aron**	habl**arán**

	Imperfecto	Pretérito perfecto	Pluscuamperfecto
yo	habl**aba**	**he** hablado	**había** hablado
tú	habl**abas**	**has** hablado	**habías** hablado
él / ella / Ud.	habl**aba**	**ha** hablado	**había** hablado
nosotros	habl**ábamos**	**hemos** hablado	**habíamos** hablado
vosotros	habl**abais**	**habéis** hablado	**habíais** hablado
ellos / ellas / Uds.	habl**aban**	**han** hablado	**habían** hablado

	Presente de subjuntivo	Imperfecto de subjuntivo	Condicional
yo	habl**e**	habl**ara**	habl**aría**
tú	habl**es**	habl**aras**	habl**arías**
él / ella / Ud.	habl**e**	habl**ara**	habl**aría**
nosotros	habl**emos**	habl**áramos**	habl**aríamos**
vosotros	habl**éis**	habl**arais**	habl**aríais**
ellos / ellas / Uds.	habl**en**	habl**aran**	habl**arían**

	Imperativo
tú	habl**a** / no habl**es**
Ud.	habl**e**
nosotros	habl**emos**
vosotros	habl**ad** / no habl**éis**
Uds.	habl**en**

** plural de la forma tú; se usa principalmente en España*

VERBOS EN *-ER*: *COMER*

Gerundio: com**iendo**
Participio pasado: com**ido**

	Presente	Pretérito indefinido	Futuro
yo	com**o**	com**í**	com**eré**
tú	com**es**	com**iste**	com**erás**
él / ella / Ud.	com**e**	com**ió**	com**erá**
nosotros	com**emos**	com**imos**	com**eremos**
*vosotros**	com**éis**	com**isteis**	com**eréis**
ellos / ellas / Uds.	com**en**	com**ieron**	com**erán**

	Imperfecto	Pretérito perfecto	Pluscuamperfecto
yo	com**ía**	**he** comido	**había** comido
tú	com**ías**	**has** comido	**habías** comido
él / ella / Ud.	com**ía**	**ha** comido	**había** comido
nosotros	com**íamos**	**hemos** comido	**habíamos** comido
vosotros	com**íais**	**habéis** comido	**habíais** comido
ellos / ellas / Uds.	com**ían**	**han** comido	**habían** comido

	Presente de subjuntivo	Imperfecto de subjuntivo	Condicional
yo	com**a**	com**iera**	com**ería**
tú	com**as**	com**ieras**	com**erías**
él / ella / Ud.	com**a**	com**iera**	com**ería**
nosotros	com**amos**	com**iéramos**	com**eríamos**
vosotros	com**áis**	com**ierais**	com**eríais**
ellos / ellas / Uds.	com**an**	com**ieran**	com**erían**

	Imperativo
tú	com**e** / no com**as**
Ud.	com**a**
nosotros	com**amos**
vosotros	com**ed** / no com**áis**
Uds.	com**an**

* *plural de la forma tú; se usa principalmente en España*

VERBOS EN *-IR*: *VIVIR*

Gerundio: viv**iendo**
Participio pasado: viv**ido**

	Presente	Pretérito indefinido	Futuro
yo	viv**o**	viv**í**	viv**iré**
tú	viv**es**	viv**iste**	viv**irás**
él / ella / Ud.	viv**e**	viv**ió**	viv**irá**
nosotros	viv**imos**	viv**imos**	viv**iremos**
*vosotros**	viv**ís**	viv**isteis**	viv**iréis**
ellos / ellas / Uds.	viv**en**	viv**ieron**	viv**irán**

	Imperfecto	Pretérito perfecto	Pluscuamperfecto
yo	viv**ía**	**he** vivido	**había** vivido
tú	viv**ías**	**has** vivido	**habías** vivido
él / ella / Ud.	viv**ía**	**ha** vivido	**había** vivido
nosotros	viv**íamos**	**hemos** vivido	**habíamos** vivido
vosotros	viv**íais**	**habéis** vivido	**habíais** vivido
ellos / ellas / Uds.	viv**ían**	**han** vivido	**habían** vivido

	Presente de subjuntivo	Imperfecto de subjuntivo	Condicional
yo	viv**a**	viv**iera**	viv**iría**
tú	viv**as**	viv**ieras**	viv**irías**
él / ella / Ud.	viv**a**	viv**iera**	viv**iría**
nosotros	viv**amos**	viv**iéramos**	viv**iríamos**
vosotros	viv**áis**	viv**ierais**	viv**iríais**
ellos / ellas / Uds.	viv**an**	viv**ieran**	viv**irían**

	Imperativo
tú	viv**e** / no viv**as**
Ud.	viv**a**
nosotros	viv**amos**
vosotros	viv**id** / no viv**áis**
Uds.	viv**an**

** plural de la forma tú; se usa principalmente en España*

VERBOS REFLEXIVOS: *ACOSTARSE*

Gerundio: acost**ándose**
Participio pasado: acost**ado**

	Presente	**Pretérito indefinido**	**Futuro**
yo	me acuesto	me acosté	me acostaré
tú	te acuestas	te acostaste	te acostarás
él / ella / Ud.	se acuesta	se acostó	se acostará
nosotros	nos acostamos	nos acostamos	nos acostaremos
vosotros	os acostáis	os acostasteis	os acostaréis
ellos / ellas / Uds.	se acuestan	se acostaron	se acostarán

	Imperfecto	**Pretérito perfecto**	**Pluscuamperfecto**
yo	me acostaba	me he acostado	me había acostado
tú	te acostabas	te has acostado	te habías acostado
él / ella / Ud.	se acostaba	se ha acostado	se había acostado
nosotros	nos acostábamos	nos hemos acostado	nos habíamos acostado
vosotros	os acostabais	os habéis acostado	os habíais acostado
ellos / ellas / Uds.	se acostaban	se han acostado	se habían acostado

	Presente de subjuntivo	**Imperfecto de subjuntivo**	**Condicional**
yo	me acueste	me acostara	me acostaría
tú	te acuestes	te acostaras	te acostarías
él / ella / Ud.	se acueste	se acostara	se acostaría
nosotros	nos acostemos	nos acostáramos	nos acostaríamos
vosotros	os acostéis	os acostarais	os acostaríais
ellos / ellas / Uds.	se acuesten	se acostaran	se acostarían

	Imperativo
tú	acuéstate / no te acuestes
Ud.	acuéstese / no se acueste
nosotros	acostémonos / no nos acostemos
vosotros	acostaos / no os acostéis
Uds.	acuéstense / no se acuesten

VERBOS IRREGULARES

Infinitivo	**agradecer**	**almorzar**	**cerrar**
Gerundio	agradeciendo	almorzando	cerrando
Participio	agradecido	almorzado	cerrado
Imperativo	agradece / no agradezcas agradezca agradezcamos agradeced / no agradezcáis agradezcan	almuerza / no almuerces almuerce almorcemos almorzad / no almorcéis almuercen	cierra / no cierres cierre cerremos cerrad / no cerréis cierren
Presente	agradezco agradeces agradece agradecemos agradecéis agradecen	almuerzo almuerzas almuerza almorzamos almorzáis almuerzan	cierro cierras cierra cerramos cerráis cierran
Pretérito indefinido	agradecí agradeciste agradeció agradecimos agradecisteis agradecieron	almorcé almorzaste, *etc.*	cerré cerraste, *etc.*
Futuro	agradeceré agradecerás, *etc.*	almorzaré almorzarás, *etc.*	cerraré cerrarás, *etc.*
Imperfecto	agradecía agradecías, *etc.*	almorzaba almorzabas, *etc.*	cerraba cerrabas, *etc.*
Presente de subjuntivo	agradezca agradezcas, *etc.*	almuerce almuerces almuerce almorcemos almorcéis almuercen	cierre cierres cierre cerremos cerréis cierren, *etc.*
Imperfecto de subjuntivo	agradeciera agradecieras, *etc.*	almorzara almorzaras, *etc.*	cerrara cerraras, *etc.*
Condicional	agradecería agradecerías, *etc.*	almorzaría almorzarías, *etc.*	cerraría cerrarías, *etc.*

Infinitivo	conocer	construir	contar	dar
Gerundio	conociendo	construyendo	contando	dando
Participio	conocido	construido	contado	dado
Imperativo	conoce / no conozcas conozca conozcamos conoced / no conozcáis conozcan	construye / no construyas construya construyamos construid / no construyáis construyan	cuenta / no cuentes cuente contemos contad / no contéis cuenten	da / no des dé demos dad / no deis den
Presente	conozco conoces conoce conocemos conocéis conocen	construyo construyes construye construimos construís construyen	cuento cuentas cuenta contamos contáis cuentan	doy das da damos dais dan
Pretérito indefinido	conocí conociste, *etc.*	construí construiste construyó construimos construisteis construyeron	conté contaste, *etc.*	di diste, *etc.*
Futuro	conoceré conocerás, *etc.*	construiré construirás, *etc.*	contaré contarás, *etc.*	daré darás, *etc.*
Imperfecto	conocía conocías, *etc.*	construía construías, *etc.*	contaba contabas, *etc.*	daba dabas, *etc.*
Presente de subjuntivo	conozca conozcas, *etc.*	construya construyas, *etc.*	cuente cuentes cuente contemos contéis cuenten, *etc.*	dé des dé demos deis den, *etc.*
Imperfecto de subjuntivo	conociera conocieras, *etc.*	construyera construyeras, *etc.*	contara contaras, *etc.*	diera dieras, *etc.*
Condicional	conocería conocerías, *etc.*	construiría construirías, *etc.*	contaría contarías, *etc.*	daría darías, *etc.*

Infinitivo	decir	descubrir	despertar	doler*
Gerundio	diciendo	descubriendo	despertando	doliendo
Participio	dicho	descubierto	despertado	dolido
Imperativo	di / no digas diga digamos decid / no digáis digan	descubre / no descubras descubra descubramos descubrid / no descubráis descubran	despierta / no despiertes despierte despertemos despertad / no despertéis despierten	
Presente	digo dices dice decimos decís dicen	descubro descubres, *etc.*	despierto despiertas despierta despertamos despertáis despiertan	 duele duelen
Pretérito indefinido	dije dijiste dijo dijimos dijisteis dijeron	descubrí descubriste, *etc.*	desperté despertaste despertó despertamos despertasteis despertaron	 dolió dolieron
Futuro	diré dirás, *etc.*	descubriré descubrirás, *etc.*	despertaré despertarás, *etc.*	dolerá dolerán
Imperfecto	decía decías, *etc.*	descubría descubrías, *etc.*	despertaba despertabas, *etc.*	dolía dolían
Presente de subjuntivo	diga digas, *etc.*	descubra descubras, *etc.*	despierte despiertes despierte despertemos despertéis despierten	 duela duelan
Imperfecto de subjuntivo	dijera dijeras, *etc.*	descubriera descubriera, *etc.*	despertara despertaras, *etc.*	doliera dolieran
Condicional	diría dirías, *etc.*	descubriría descubrirías, *etc.*	despertaría despertarías, *etc.*	dolería dolerían

** se conjuga solamente en la tercera persona del singular y del plural*

Infinitivo	**dormir**	**elegir**	**empezar**
Gerundio	durmiendo	eligiendo	empezando
Participio	dormido	elegido	empezado
Imperativo	duerme / no duermas duerma durmamos dormid / no durmáis duerman	elige / no elijas elija elijamos elegid / no elijáis elijan	empieza / no empieces empiece empecemos empezad / no empecéis empiecen
Presente	duermo duermes duerme dormimos dormís duermen	elijo eliges elige elegimos elegís eligen	empiezo empiezas empieza empezamos empezáis empiezan
Pretérito indefinido	dormí dormiste durmió dormimos dormisteis durmieron	elegí elegiste eligió elegimos elegisteis eligieron	empecé empezaste empezó empezamos empezasteis empezaron
Futuro	dormiré dormirás, *etc.*	elegiré elegirás, *etc.*	empezaré empezarás, *etc.*
Imperfecto	dormía dormías, *etc.*	elegía elegías, *etc.*	empezaba empezabas, *etc.*
Presente de subjuntivo	duerma duermas duerma durmamos durmáis duerman	elija elijas, *etc.*	empiece empieces, *etc.*
Imperfecto de subjuntivo	durmiera durmieras, *etc.*	eligiera eligieras, *etc.*	empezara empezaras, *etc.*
Condicional	dormiría dormirías, *etc.*	elegiría elegirías, *etc.*	empezaría empezarías, *etc.*

Infinitivo	**encontrar**	**entender**	**estar**
Gerundio	encontrando	entendiendo	estando
Participio	encontrado	entendido	estado
Imperativo	encuentra / no encuentres, *etc.* encuentre encontremos encontrad / no encontréis encuentren	entiende / no entiendas entienda entendamos entended / no entendáis entiendan	está / no estés esté estemos estad / no estéis estén
Presente	encuentro encuentras encuentra encontramos encontráis encuentran	entiendo entiendes entiende entendemos entendéis entienden	estoy estás está estamos estáis están
Pretérito indefinido	encontré encontraste, *etc.*	entendí entendiste, *etc.*	estuve estuviste estuvo estuvimos estuvisteis estuvieron
Futuro	encontraré encontrarás, *etc.*	entenderé entenderás, *etc.*	estaré estarás, *etc.*
Imperfecto	encontraba encontrabas, *etc.*	entendía entendías, *etc.*	estaba estabas, *etc.*
Presente de subjuntivo	encuentre encuentres encuentre encontremos encontréis encuentren	entienda entiendas entienda entendamos entendáis entiendan	esté estés, *etc.*
Imperfecto de subjuntivo	encontrara encontraras, *etc.*	entendiera entendieras, *etc.*	estuviera estuvieras, *etc.*
Condicional	encontraría encontrarías, *etc.*	entendería entenderías, *etc.*	estaría estarías, *etc.*

Infinitivo	**hacer**	**herir**	**ir**
Gerundio	haciendo	hiriendo	yendo
Participio	hecho	herido	ido
Imperativo	haz / no hagas haga hagamos haced / no hagáis hagan	hiere / no hieras hiera hiramos herid / no hiráis hieran	ve / no vayas vaya vamos / no vayamos id / no vayáis vayan
Presente	hago haces hace hacemos hacéis hacen	hiero hieres hiere herimos herís hieren	voy vas va vamos váis van
Pretérito indefinido	hice hiciste hizo hicimos hicisteis hicieron	herí heriste hirió herimos heristeis hirieron	fui fuiste fue fuimos fuisteis fueron
Futuro	haré harás, *etc.*	heriré herirás, *etc.*	iré irás, *etc.*
Imperfecto	hacía hacías, *etc.*	hería herías, *etc.*	iba ibas, *etc.*
Presente de subjuntivo	haga hagas, *etc.*	hiera hieras, *etc.*	vaya vayas, *etc.*
Imperfecto de subjuntivo	hiciera hicieras, *etc.*	hiriera hirieras	fuera fueras, *etc.*
Condicional	haría harías, *etc.*	heriría herirías, *etc.*	iría irías, *etc.*

Infinitivo	jugar	mostrar	ofrecer
Gerundio	jugando	mostrando	ofreciendo
Participio	jugado	mostrado	ofrecido
Imperativo	juega / no juegues juegue juguemos jugad / no juguéis jueguen	muestra / no muestres muestre mostremos mostrad / no mostréis muestren	ofrece / no ofrezcas ofrezca ofrezcamos ofreced / no ofrezcáis ofrezcan
Presente	juego juegas juega jugamos jugáis juegan	muestro muestras muestra mostramos mostráis muestran	ofrezco ofreces ofrece ofrecemos ofrecéis ofrecen
Pretérito indefinido	jugué jugaste jugó jugamos jugasteis jugaron	mostré mostraste, *etc.*	ofrecí ofreciste, *etc.*
Futuro	jugaré jugarás, *etc.*	mostraré mostrarás, *etc.*	ofreceré ofrecerás, *etc.*
Imperfecto	jugaba jugabas, *etc.*	mostraba mostrabas, *etc.*	ofrecía ofrecías, *etc.*
Presente de subjuntivo	juegue juegues juegue juguemos juguéis jueguen	muestre muestres muestre mostremos mostréis muestren	ofrezca ofrezcas, *etc.*
Imperfecto de subjuntivo	jugara jugaras, *etc.*	mostrara mostraras, *etc.*	ofreciera ofrecieras, *etc.*
Condicional	jugaría jugarías, *etc.*	mostraría mostrarías, *etc.*	ofrecería ofrecerías, *etc.*

Infinitivo	oír	pedir	pensar
Gerundio	oyendo	pidiendo	pensando
Participio	oído	pedido	pensado
Imperativo	oye / no oigas oiga oigamos oíd / no oigáis oigan	pide / no pidas pida pidamos pedid / no pidáis pidan	piensa / no pienses piense pensemos pensad / no penséis piensen
Presente	oigo oyes oye oímos oís oyen	pido pides pide pedimos pedís piden	pienso piensas piensa pensamos pensáis piensan
Pretérito indefinido	oí oíste oyó oímos oísteis oyeron	pedí pediste pidió pedimos pedisteis pidieron	pensé pensaste, *etc.*
Futuro	oiré oirás, *etc.*	pediré pedirás, *etc.*	pensaré pensarás, *etc.*
Imperfecto	oía oías, *etc.*	pedía pedías, *etc.*	pensaba pensabas, *etc.*
Presente de subjuntivo	oiga oigas, *etc.*	pida pidas, *etc.*	piense pienses piense pensemos penséis piensen
Imperfecto de subjuntivo	oyera oyeras, *etc.*	pidiera pidieras, *etc.*	pensara pensaras
Condicional	oiría oirías, *etc.*	pediría pedirías, *etc.*	pensaría pensarías, *etc.*

Infinitivo	perder	poder	poner
Gerundio	perdiendo	pudiendo	poniendo
Participio	perdido	podido	puesto
Imperativo	pierde / no pierdas pierda perdamos perded / no perdáis pierdan	puede / no puedas pueda podamos poded / no podáis puedan	pon / no pongas ponga pongamos poned / no pongáis pongan
Presente	pierdo pierdes pierde perdemos perdéis pierden	puedo puedes puede podemos podéis pueden	pongo pones pone ponemos ponéis ponen
Pretérito indefinido	perdí perdiste, *etc.*	pude pudiste pudo pudimos pudisteis pudieron	puse pusiste puso pusimos pusisteis pusieron
Futuro	perderé perderás, *etc.*	podré podrás, *etc.*	pondré pondrás, *etc.*
Imperfecto	perdía perdías, *etc.*	podía podías, *etc.*	ponía ponías, *etc.*
Presente de subjuntivo	pierda pierdas pierda perdamos perdáis pierdan	pueda puedas pueda podamos podáis puedan	ponga pongas, *etc.*
Imperfecto de subjuntivo	perdiera perdieras, *etc.*	pudiera pudieras, *etc.*	pusiera pusieras, *etc.*
Condicional	perdería perderías, *etc.*	podría podrías, *etc.*	pondría pondrías, *etc.*

Infinitivo	preferir	probar	querer
Gerundio	prefiriendo	probando	queriendo
Participio	preferido	probado	querido
Imperativo	prefiere / no prefieras prefiera prefiramos preferid / no prefiráis prefieran	prueba / no pruebes pruebe probemos probad / no probéis prueben	quiere / no quieras quiera queramos quered / no queráis quieran
Presente	prefiero prefieres prefiere preferimos preferís prefieren	pruebo pruebas prueba probamos probáis prueban	quiero quieres quiere queremos queréis quieren
Pretérito indefinido	preferí preferiste prefirió preferimos preferisteis prefirieron	probé probaste, *etc.*	quise quisiste quiso quisimos quisisteis quisieron
Futuro	preferiré preferirás, *etc.*	probaré probarás, *etc.*	querré querrás, *etc.*
Imperfecto	prefería preferías, *etc.*	probaba probabas, *etc.*	quería querías, *etc.*
Presente de subjuntivo	prefiera prefieras prefiera prefiramos prefiráis prefieran	pruebe pruebes pruebe probemos probéis prueben	quiera quieras quiera queramos queráis quieran
Imperfecto de subjuntivo	prefiriera prefirieras, *etc.*	probara probaras, *etc.*	quisiera quisieras, *etc.*
Condicional	preferiría preferirías, *etc.*	probaría probarías, *etc.*	querría querrías, *etc.*

Infinitivo	reír	renovar	repetir
Gerundio	riendo	renovando	repitiendo
Participio	reído	renovado	repetido
Imperativo	ríe / no rías ría ríamos reíd / no ríais rían	renueva / no renueves renueve renovemos renovad / no renovéis renueven	repite / no repitas repita repitamos repetid / no repitáis repitan
Presente	río ríes ríe reímos reís ríen	renuevo renuevas renueva renovamos renováis renuevan	repito repites repite repetimos repetís repiten
Pretérito indefinido	reí reíste rió reímos reísteis rieron	renové renovaste renovó renovamos renovasteis renovaron	repetí repetiste repitió repetimos repetisteis repitieron
Futuro	reiré reirás, *etc.*	renovaré renovarás, *etc.*	repetiré repetirás, *etc.*
Imperfecto	reía reías, *etc.*	renovaba renovabas, *etc.*	repetía repetías, *etc.*
Presente de subjuntivo	ría rías, *etc.*	renueve renueves renueve renovemos renovéis renueven	repita repitas, *etc.*
Imperfecto de subjuntivo	riera rieras, *etc.*	renovara renovaras, *etc.*	repitiera repitieras, *etc.*
Condicional	reiría reirías, *etc.*	renovaría renovarías, *etc.*	repetiría repetirías, *etc.*

Infinitivo	saber	salir	seguir
Gerundio	sabiendo	saliendo	siguiendo
Participio	sabido	salido	seguido
Imperativo	sabe / no sepas sepa sepamos sabed / no sepáis sepan	sal / no salgas salga salgamos salid / no salgáis salgan	sigue / no sigas siga sigamos seguid / no sigáis sigan
Presente	sé sabes sabe sabemos sabéis saben	salgo sales sale salimos salís salen	sigo sigues sigue seguimos seguís siguen
Pretérito indefinido	supe supiste supo supimos supisteis supieron	salí saliste salió salimos salisteis salieron	seguí seguiste siguió seguimos seguisteis siguieron
Futuro	sabré sabrás, *etc.*	saldré saldrás, *etc.*	seguiré seguirás, *etc.*
Imperfecto	sabía sabías, *etc.*	salía salías, *etc.*	seguía seguías, *etc.*
Presente de subjuntivo	sepa sepas, *etc.*	salga salgas, *etc.*	siga sigas, *etc.*
Imperfecto de subjuntivo	supiera supieras, *etc.*	saliera salieras, *etc.*	siguiera siguieras, *etc.*
Condicional	sabría sabrías, *etc.*	saldría saldrías, *etc.*	seguiría seguirías, *etc.*

Infinitivo	sentir	ser	servir
Gerundio	sintiendo	siendo	sirviendo
Participio	sentido	sido	servido
Imperativo	siente / no sientas sienta sintamos sentid / no sintáis sientan	sé / no seas sea seamos sed / no seáis sean	sirve / no sirvas sirva sirvamos servid / no sirváis sirvan
Presente	siento sientes siente sentimos sentís sienten	soy eres es somos sois son	sirvo sirves sirve servimos servís sirven
Pretérito indefinido	sentí sentiste sintió sentimos sentisteis sintieron	fui fuiste fue fuimos fuisteis fueron	serví serviste sirvió servimos servisteis sirvieron
Futuro	sentiré sentirás, *etc.*	seré serás, *etc.*	serviré servirás, *etc.*
Imperfecto	sentía sentías, *etc.*	era eras, *etc.*	servía servías, *etc.*
Presente de subjuntivo	sienta sientas sienta sintamos sintáis sientan	sea seas, *etc.*	sirva sirvas, *etc.*
Imperfecto de subjuntivo	sintiera sintieras, *etc.*	fuera fueras, *etc.*	sirviera sirvieras, *etc.*
Condicional	sentiría sentirías, *etc.*	sería serías, *etc.*	serviría servirías, *etc.*

Infinitivo	tener	traer	venir
Gerundio	teniendo	trayendo	viniendo
Participio	tenido	traído	venido
Imperativo	ten / no tengas tenga tengamos tened / no tengáis tengan	trae / no tráigas traiga traigamos traed / no traigáis traigan	ven / no vengas venga vengamos venid / no vengáis vengan
Presente	tengo tienes tiene tenemos tenéis tienen	traigo traes trae traemos traéis traen	vengo vienes viene venimos venís vienen
Pretérito indefinido	tuve tuviste tuvo tuvimos tuvisteis tuvieron	traje trajiste trajo trajimos trajisteis trajeron	vine viniste vino vinimos vinisteis vinieron
Futuro	tendré tendrás, *etc.*	traeré traerás, *etc.*	vendré vendrás, *etc.*
Imperfecto	tenía tenías, *etc.*	traía traías, *etc.*	venía venías, *etc.*
Presente de subjuntivo	tenga tengas, *etc.*	traiga traigas, *etc.*	venga vengas, *etc.*
Imperfecto de subjuntivo	tuviera tuvieras, *etc.*	trajera trajeras, *etc.*	viniera vinieras, *etc.*
Condicional	tendría tendrías, *etc.*	traería traerías, *etc.*	vendría vendrías, *etc.*

Infinitivo	**ver**	**vestir**	**volver**
Gerundio	viendo	vistiendo	volviendo
Participio	visto	vestido	vuelto
Imperativo	ve / no veas vea veamos ved / no veáis vean	viste / no vistas vista vistamos vestid / no vistáis vistan	vuelve / no vuelvas vuelva volvamos volved / no volváis vuelvan
Presente	veo ves ve vemos veis ven	visto vistes viste vestimos vestís visten	vuelvo vuelves vuelve volvemos volvéis vuelven
Pretérito indefinido	vi viste vio vimos visteis vieron	vestí vestiste vistió vestimos vestisteis vistieron	volví volviste, *etc.*
Futuro	veré verás, *etc.*	vestiré vestirás, *etc.*	volveré volverás, *etc.*
Imperfecto	veía veías, *etc.*	vestía vestías, *etc.*	volvía volvías, *etc.*
Presente de subjuntivo	vea veas, *etc.*	vista vistas, *etc.*	vuelva vuelvas vuelva volvamos volváis vuelvan
Imperfecto de subjuntivo	viera vieras, *etc.*	vistiera vistieras, *etc.*	volviera volvieras, *etc.*
Condicional	vería verías, *etc.*	vestiría vestirías, *etc.*	volvería volverías, *etc.*

VERBOS CON IRREGULARIDADES ORTOGRÁFICAS

Infinitivo	**comenzar**	**continuar**	**escoger**
Gerundio	comenzando	continuando	escogiendo
Participio	comenzado	continuado	escogido
Imperativo	comienza / no comiences comience comencemos comenzad / no comencéis comiencen	continúa / no continúes continúe continuemos continuad / no continuéis continúen	escoge / no escojas escoja escojamos escoged / no escojáis escojan
Presente	comienzo comienzas comienza comenzamos comenzáis comienzan	continúo continúas continúa continuamos continuáis continúan	escojo escoges escoge escogemos escogéis escogen
Pretérito indefinido	comencé comenzaste comenzó comenzamos comenzasteis comenzaron	continué continuaste continuó continuamos continuasteis continuaron	escogí escogiste escogió escogimos escogisteis escogieron
Futuro	comenzaré comenzarás, *etc.*	continuaré continuarás, *etc.*	escogeré escogerás, *etc.*
Imperfecto	comenzaba comenzabas, *etc.*	continuaba continuabas, *etc.*	escogía escogías, *etc.*
Presente de subjuntivo	comience comiences comience comencemos comencéis comiencen	continúe continúes, *etc.*	escoja escojas, *etc.*
Imperfecto de subjuntivo	comenzara comenzaras, *etc.*	continuara continuaras, *etc.*	escogiera escogieras, *etc.*
Condicional	comenzaría comenzarías, *etc.*	continuaría continuarías, *etc.*	escogería escogerías, *etc.*

Infinitivo	leer	pagar	tocar
Gerundio	leyendo	pagando	tocando
Participio	leído	pagado	tocado
Imperativo	lee / no leas lea leamos leed / no leáis lean	paga / no pagues pague paguemos pagad / no paguéis paguen	toca / no toques toque toquemos tocad / no toquéis toquen
Presente	leo lees lee leemos leéis leen	pago pagas paga pagamos pagáis pagan	toco tocas toca tocamos tocáis tocan
Pretérito indefinido	leí leíste leyó leímos leísteis leyeron	pagué pagaste pagó pagamos pagasteis pagaron	toqué tocaste tocó tocamos tocasteis tocaron
Futuro	leeré leerás, *etc.*	pagaré pagarás, *etc.*	tocaré tocarás, *etc.*
Imperfecto	leía leías, *etc.*	pagaba pagabas, *etc.*	tocaba tocabas, *etc.*
Presente de subjuntivo	lea leas, *etc.*	pague pagues, *etc.*	toque toques, *etc.*
Imperfecto de subjuntivo	leyera leyeras, *etc.*	pagara pagaras, *etc.*	tocara tocaras, *etc.*
Condicional	leería leerías	pagaría pagarías, *etc.*	tocaría tocarías, *etc.*

AUDIOPROGRAMA

Capítulo 1

El Sr. Tomás Camejo llama al doctor. ¡Escuche!

Srta. Jiménez: *Consultorio del Dr. Ortiz. Buenos días.*

Sr. Camejo: *Buenos días. Le habla el Sr. Camejo. No me siento muy bien y me gustaría saber si el doctor puede examinarme.*

Srta. Jiménez: *Déjeme ver ... no tenemos nada por la mañana ... ¡ah! Veo que alguien canceló una cita para esta tarde a las tres. ¿Le parece bien?*

Sr. Camejo: *Sí, de acuerdo, gracias. Hasta las tres, entonces.*

¡Conteste!

¿Se siente bien el Sr. Camejo? — No, no se siente bien.

¿Cómo se siente? — Se siente mal.

¿Llamó a su oficina o al consultorio del Dr. Ortiz? — Llamó al consultorio del Dr. Ortiz.

¿Podrá el doctor examinarlo hoy? — Sí, podrá examinarlo hoy.

Muy bien.

A las tres el Sr. Camejo entra en el consultorio del Dr. Ortiz. ¡Escuche!

Sr. Camejo: *Buenas tardes, doctor.*

Dr. Ortiz: *Buenas tardes, Sr. Camejo. Dígame, ¿cuál es el problema?*

Sr. Camejo: *Estoy bastante cansado, tengo fiebre, me duele mucho la cabeza. También tengo un ligero dolor de estómago. Esta mañana me levanté temprano para ir al trabajo, pero tuve que volver a la cama enseguida.*

¡Conteste!

¿Le duele la cabeza al Sr. Camejo? — Sí, le duele la cabeza.

También tiene dolor de estómago, ¿verdad? — Sí, también tiene dolor de estómago.

Se levantó tarde o temprano para ir al trabajo? — Se levantó temprano.

¿Pudo ir a trabajar? — No, no pudo ir a trabajar.

Tuvo que volver a la cama, ¿verdad? — Sí, tuvo que volver a la cama.

¿Fue a trabajar o fue a ver al doctor? — Fue a ver al doctor.

Fue al consultorio del doctor, ¿verdad? — Sí, fue al consultorio del doctor.

¡Muy bien! ¡Ahora escuche!

Dr. Ortiz: *¿Y desde cuándo se siente mal?*

Sr. Camejo: *Pues ... desde ayer por la noche, más o menos. No pude dormir bien durante la noche y me desperté varias veces.*

Dr. Ortiz: *Y ahora, ¿se siente mejor o peor que esta mañana?*

Sr. Camejo: *Peor, no quiero ni comer ni beber. Sólo quiero dormir.*

Dr. Ortiz: *Vamos a ver. Quítese la camisa, por favor, para examinarlo ... también quiero tomarle la temperatura ...*

¡Conteste!

¿Pudo dormir bien durante la noche el Sr. Camejo?	No, no pudo dormir bien.
¿Se despertó pocas o varias veces?	Se despertó varias veces.
¿Y cómo está ahora, mejor o peor?	Está peor.
¿Quiere beber?	No, no quiere beber.
¿No quiere comer tampoco?	No, no quiere comer tampoco.
¿Sólo quiere dormir, ¿no?	Sí, sólo quiere dormir.
¿Le pide el doctor al Sr. Camejo que se quite la camisa?	Sí, le pide que se quite la camisa.
¿Se quita la camisa el Sr. Camejo?	Sí, se quita la camisa.
Perdón, ¿qué se quita?	Se quita la camisa.
Bien.	

¡Repita!

El Sr. Camejo se quita la camisa.
Nosotros nos quitamos las camisas.
Yo me quito la camisa.

El Sr. Camejo se levantó temprano.	
Yo me levanté ...	Yo me levanté temprano.
Ud. ...	Ud. se levantó temprano.
Uds. se preocupan mucho.	
Luisa ...	Luisa se preocupa mucho.
Nosotros...	Nosotros nos preocupamos mucho.
Nosotros nos acostamos tarde.	
Uds. ...	Uds. se acuestan tarde.
Yo...	Yo me acuesto tarde.

Muy bien. ¡Ahora escuche!

Dr. Ortiz: *Hmm ... Ud. tiene bastante fiebre ... parece que tiene una gripe fuerte. Pero no se preocupe.*

Sr. Camejo: *¿Qué me aconseja, doctor?*

Dr. Ortiz: *Le aconsejo que se quede en cama hasta el jueves y descanse. Le voy a recetar una medicina. Es importante que la tome tres veces al día, después de cada comida. Aquí tiene la receta.*

Sr. Camejo: *Muchas gracias, doctor.*

Dr. Ortiz: *¡Que se mejore pronto!*

¡Ahora conteste!

¿Tiene una gripe ligera o fuerte el Sr. Camejo?	Tiene una gripe fuerte.
¿Le aconseja el doctor que vaya al trabajo?	No, no le aconseja que vaya al trabajo.
Le aconseja que se quede en la cama, ¿verdad?	Sí, le aconseja que se quede en cama.

¿Le receta una medicina el doctor? — Sí, le receta una medicina.

Y es importante que la tome tres veces al día, ¿verdad? — Sí, es importante que la tome tres veces al día.

Perdón, ¿qué es importante? — Es importante que la tome tres veces al día.

¡Excelente! ¡Ahora escuche otra vez … y repita!

– *Consultorio del Dr. Ortiz. Buenos días.*
– *Buenos días.*
Le habla el Sr. Camejo.
No me siento muy bien
y me gustaría saber
si el doctor puede examinarme.
– *Déjeme ver …*
no tenemos nada por la mañana.
¡Ah! Veo que alguien canceló una cita para esta tarde a las tres.
¿Le parece bien?
– *Sí, de acuerdo, gracias.*
Hasta las tres, entonces.
– *Buenas tardes, doctor.*
– *Buenas tardes, Sr. Camejo.*
Dígame, ¿cuál es el problema?
– *Estoy bastante cansado,*
tengo fiebre,
me duele mucho la cabeza.
También tengo un ligero dolor de estómago.
Esta mañana me levanté temprano para ir al trabajo,
pero tuve que volver a la cama enseguida.
– *¿Y desde cuándo se siente mal?*
– *Pues … desde ayer por la noche, más o menos.*
No pude dormir bien durante la noche
y me desperté varias veces.
– *Y ahora, ¿se siente mejor o peor que esta mañana?*
– *Peor, no quiero ni comer ni beber.*
Sólo quiero dormir.
– *Vamos a ver.*
Quítese la camisa, por favor, para examinarlo …
también quiero tomarle la temperatura …
Hmm … Ud. tiene bastante fiebre …
parece que tiene una gripe fuerte,
pero no se preocupe.
– *¿Qué me aconseja, doctor?*
– *Le aconsejo que se quede en cama hasta el jueves y descanse.*
Le voy a recetar una medicina.

Es importante que la tome tres veces al día,
después de cada comida.
Aquí tiene la receta.

– *Muchas gracias, doctor.*
– *¡Que se mejore pronto!*

¡Muy bien! Y nosotros también deseamos que el Sr. Camejo se mejore. Éste es el final del capítulo número 1. ¡Muchas gracias y ... hasta luego!

Capítulo 2

Luis y Fernando, argentinos, son viejos amigos. En dos semanas habrá una gran fiesta en casa de Luis. Ahora, Luis llama a Fernando. ¡Escuche!

Fernando: *¿Hola?*
Luis: *Hola Fernando, ¿cómo estás? Soy yo, Luis.*
Fernando: *Hombre, Luis, ¡qué sorpresa! Hacía tiempo que no me llamabas.*
Luis: *Es verdad. Antes hablábamos más a menudo, pero ya sabes, últimamente estoy muy ocupado con el trabajo.*
Fernando: *Sí, lo entiendo.*

¡Conteste!

¿Llama Luis a Fernando?	Sí, llama a Fernando.
Pero hacía tiempo que no hablaban por teléfono, ¿verdad?	Sí, hacía tiempo que no hablaban por teléfono.
¿Hablan ahora a menudo los dos amigos?	No, ahora no hablan a menudo.
¿Hablaban antes a menudo?	Sí, antes hablaban a menudo.
Perdón, ¿cuándo hablaban a menudo?	Antes hablaban a menudo.
Bien.	

¡Ahora repita!

Ahora no hablan a menudo. Antes hablaban a menudo.	
Ahora son buenos amigos. Antes eran ...	Antes eran buenos amigos.
Ahora van a fiestas. Antes no ...	Antes no iban a fiestas.
Ahora no están en contacto. Antes ...	Antes estaban en contacto.

¡Muy bien! ¡Ahora, escuche!

Luis: *¿Sabes?, anoche te llamé pero no te encontré en casa.*
Fernando: *¿Y por qué no dejaste recado en el contestador?*
Luis: *Porque quería hablar contigo y no con la máquina. Te llamaba porque quería invitarte a ti y a tu novia a una fiesta en mi casa.*

¡Conteste!
¿Llamó Luis a Fernando? — Sí, lo llamó.
¿Quería invitarlo a una cena? — No, no quería invitarlo a una cena.
Quería invitarlo a una fiesta, ¿verdad? — Sí, quería invitarlo a una fiesta.
¿Se tratan de Ud. los dos amigos? — No, no se tratan de Ud.
¿Se tutean? — Sí, se tutean.
¿Dice Luis: "Quería invitarlo a Ud."? — No, no dice: "Quería invitarlo a Ud."
Dice: "Quería invitarte a ti", ¿verdad? — Sí, dice: "Quería invitarte a ti."
¿Qué dice? — Dice: "Quería invitarte a ti."
Bien.

¡Ahora repita!
No dice: "Quería invitarlo a Ud."
Dice: "Quería invitarte a ti."
No dice: "Quiero hablar con Ud."
Dice: "Quiero hablar ..." — Dice: "Quiero hablar contigo."
No dice: "¿Cómo está Ud.?"
Dice: "¿Cómo ..." — Dice: "¿Cómo estás tú?"
No dice: "Tengo un regalo para Ud."
Dice: ... — Dice: "Tengo un regalo para ti."

¡Muy bien! ¡Ahora escuche!

Luis: *... quería invitarte a ti y a tu novia a una fiesta en mi casa.*
Fernando: *Ah, ¡qué bueno! ¿Cuándo es? ¿Cuál es la razón?*
Luis: *Pues, será el último sábado de este mes. Isabel y yo vamos a celebrar nuestro primer aniversario de bodas.*
Fernando: *Ah, fantástico, ¡muchas gracias! Iremos con mucho placer. ¿Quieres que llevemos algo de beber o de comer?*
Luis: *No, no. No tienen que traer nada.*

¡Conteste!
¿Van a celebrar el Año Nuevo Luis y su esposa? — No, no van a celebrar el Año Nuevo.
¿Qué van a celebrar? — Van a celebrar el primer aniversario de bodas.
¿Acepta Fernando la invitación? — Sí, la acepta.

Bien. ¡Ahora escuche!

Luis: *No tienen que traer nada. Mi padre me dijo que quiere comprar la comida. Ese mismo día es su cumpleaños y celebraremos las dos fiestas juntas.*
Fernando: *Bueno, pero entonces compraré un regalo para tu padre.*
Luis: *Ah, hombre, no te preocupes por eso. Será una tarde estupenda. ¡Ya verás!*

¡Conteste!
¿Comprará Luis la comida? — No, no la comprará.

¿Quién la comprará? — Su padre la comprará.

¿De quién será el cumpleaños el mismo día? — Será el cumpleaños del padre de Luis.

¿Van a celebrar las dos fiestas juntas? — Sí, van a celebrar las dos fiestas juntas.

Muy bien. ¡Escuche!

Luis: *Será una tarde estupenda. ¡Ya verás! Vamos a tener música, baile y una tarta enorme. Esperamos veinte invitados, más o menos.*

Fernando: *¡Qué bien! Te agradecemos la invitación. ¿A qué hora quieres que estemos en tu casa?*

Luis: *Empezaremos a las nueve. ¿Qué te parece?*

Fernando: *¡Perfecto! Estaremos allí sin falta.*

¡Conteste!

¿Empezará la fiesta a la una? — No, no empezará a la una.

¿A qué hora empezará? — Empezará a las nueve.

Habrá música y baile además, ¿verdad? — Sí, habrá música y baile además.

¿Le agradece Fernando la invitación a Luis? — Sí, le agradece la invitación a Luis.

Muy bien. ¡Ahora escuche otra vez y repita!

– *¿Hola?*
– *Hola Fernando, ¿cómo estás?*
  Soy yo, Luis.
– *Hombre, Luis, ¡qué sorpresa!*
  Hacía tiempo que no me llamabas.
– *Es verdad.*
  Antes hablábamos más a menudo,
  pero ya sabes,
  últimamente estoy muy ocupado con el trabajo.
– *Sí, lo entiendo.*
– *¿Sabes?, anoche te llamé*
  pero no te encontré en casa.
– *¿Y por qué no dejaste recado en el contestador?*
– *Porque quería hablar contigo y no con la máquina.*
  Te llamaba porque quería invitarte a ti y a tu novia
  a una fiesta en mi casa.
– *Ah, ¡qué bueno! ¿Cuándo es?*
  ¿Cuál es la razón?
– *Pues, será el último sábado de este mes.*
  Isabel y yo vamos a celebrar
  nuestro primer aniversario de bodas.
– *Ah, fantástico, ¡muchas gracias!*
  Iremos con mucho placer.
  ¿Quieres que llevemos algo de beber o de comer?

– *No, no. No tienen que traer nada.*
Mi padre me dijo que quiere comprar la comida.
Ese mismo día es su cumpleaños
y celebraremos las dos fiestas juntas.
– *Bueno, pero entonces compraré un regalo para tu padre.*
– *Ah, hombre, no te preocupes por eso.*
Será una tarde estupenda.
¡Ya verás!
Vamos a tener música, baile y una tarta enorme.
Esperamos veinte invitados, más o menos.
– *¡Qué bien!*
Te agradecemos la invitación.
¿A qué hora quieres que estemos en tu casa?
– *Empezaremos a las nueve.*
¿Qué te parece?
– *¡Perfecto!*
Estaremos allí sin falta.

¡Fantástico! Y le deseamos a todos que lo pasen bien. Éste es el final del capítulo 2. ¡Muchas gracias ... y ... hasta luego!

Capítulo 3

Esta mañana Fernando León, un joven argentino, pasó por el Banco de Chile en Santiago. ¡Escuche!

Empleada: *Buenos días. ¿En qué puedo ayudarle?*
Fernando: *Buenos días. Hace poco que llegué de Argentina y me gustaría abrir una cuenta corriente.*
Empleada: *¡Cómo no!*

¡Conteste!

¿Pasó Fernando por el correo o por el banco?	Pasó por el banco.
¿Le gustaría abrir una cuenta de ahorros?	No, no le gustaría abrir una cuenta de ahorros.
¿Qué tipo de cuenta quiere abrir?	Quiere abrir una cuenta corriente.

Bien. ¡Ahora escuche!

Empleada: *Necesito que Ud. me muestre su cédula de identidad. ¿Ya la tiene?*
Fernando: *Sí, la conseguí ayer.*
Empleada: *Muéstreme también su contrato de empleo, por favor.*
Fernando: *Aquí lo tiene.*
Empleada: *Muy bien.*

¡Conteste!

¿Consiguió Fernando su cédula de identidad?	Sí, la consiguió.

¿Cuándo la consiguió? La consiguió ayer.

¿Tuvo que mostrarla o no para abrir la cuenta? Tuvo que mostrarla para abrir la cuenta.

Y también tuvo que mostrar su contrato de empleo, ¿verdad? Sí, también tuvo que mostrar su contrato de empleo.

Muy bien. ¡Ahora escuche!

Empleada: *Muy bien. Y su dirección, ¿cuál es?*

Fernando: *Calle La Viña número 84, aquí en Santiago.*

Empleada: *Dígame, ¿con cuánto dinero desea abrir la cuenta?*

Fernando: *Con 1.000 pesos argentinos que tengo en cheques de viaje.*

Empleada: *De acuerdo.*

¡Conteste!

¿Le dio Fernando su dirección a la empleada? Sí, le dio su dirección a la empleada.

¿Dijo que quería abrir la cuenta con efectivo? No, no dijo que quería abrir la cuenta con efectivo.

Dijo que tenía cheques de viaje, ¿verdad? Sí, dijo que tenía cheques de viaje.

Perdón, ¿qué dijo Fernando? Dijo que tenía cheques de viaje.

Muy bien. ¡Ahora escuche!

Empleada: *¿Le gustaría solicitar una Chilecard?*

Fernando: *Pero, ¿qué es una Chilecard?*

Empleada: *Es una tarjeta para el cajero automático. Le permitirá hacer depósitos y retirar dinero cuando quiera, aún cuando esté cerrado el banco.*

Fernando: *Ah, sí, me gustaría. Tenía una tarjeta en Argentina y siempre la usaba mucho.*

¡Conteste!

¿Sabe Fernando qué es una Chilecard? No, no lo sabe.

¿Es una tarjeta de crédito o de cajero automático? Es una tarjeta de cajero automático.

¿Podrá retirar dinero con esa tarjeta? Sí, podrá retirar dinero con esa tarjeta.

¿Usaba Fernando ese tipo de tarjeta en Argentina? Sí, usaba ese tipo de tarjeta en Argentina.

Bien. La empleada llenó un formulario con los datos de Fernando. ¡Escuche!

Empleada: *Bien. Aquí tiene. Compruebe que todo esté bien y fírmelo, por favor. … ¿Desea algo más?*

Fernando: *Pues sí, tengo 200 pesos argentinos que me gustaría cambiar. Quiero ir de compras cuando salga del banco.*

Empleada: *No hay problema, Sr. León. Pase Ud. por la caja número 2. Allí le cambiarán el dinero.*

Fernando: *Muchas gracias.*

Empleada: *De nada, señor.*

¡Conteste!

¿Dijo Fernando que quería cambiar dinero?	Sí, dijo que quería cambiar dinero.
¿Dijo que quería ir de vacaciones?	No, no dijo que quería ir de vacaciones.
¿Dijo que quería ir de compras después?	Sí, dijo que quería ir de compras después.
Entonces, irá de compras cuando salga del banco, ¿verdad?	Sí, irá de compras cuando salga del banco.
Perdón, ¿cuándo irá de compras?	Irá de compras cuando salga del banco.
Bien.	

¡Ahora repita!

Fernando va de compras. Sale del banco.
Irá de compras cuando salga del banco.

Va de compras. Consigue el dinero.
Irá de compras cuando consiga el dinero.

Va de compras. Tiene efectivo. Irá de compras …	Irá de compras cuando tenga efectivo.
Va de compras. Termina sus diligencias. Irá …	Irá de compras cuando termine sus diligencias.
Va de compras. Encuentra un centro comercial.	Irá de compras cuando encuentre un centro comercial.

Muy bien. ¡Ahora escuche otra vez y repita!

– *Buenos días.*
  ¿En qué puedo ayudarle?
– *Buenos días.*
  Hace poco que llegué de Argentina
  y me gustaría abrir una cuenta corriente.
– *¡Cómo no!*
  Necesito que Ud. me muestre su cédula de identidad.
  ¿Ya la tiene?
– *Sí, la conseguí ayer.*
– *Muéstreme también su contrato de empleo, por favor.*
– *Aquí lo tiene.*
– *Muy bien.*
  Y su dirección, ¿cuál es?
– *Calle La Viña número 84,*
  aquí en Santiago.
– *Dígame, ¿con cuánto dinero desea abrir la cuenta?*
– *Con 1.000 pesos argentinos*
  que tengo en cheques de viaje.
– *De acuerdo.*
  ¿Le gustaría solicitar una Chilecard?

– *Pero, ¿qué es una Chilecard?*
– *Es una tarjeta para el cajero automático.*
Le permitirá hacer depósitos y retirar dinero cuando quiera,
aún cuando esté cerrado el banco.
– *Ah, sí, me gustaría.*
Tenía una tarjeta en Argentina
y siempre la usaba mucho.
– *Bien. Aquí tiene,*
compruebe que todo está bien y fírmelo, por favor.
¿Desea algo más?
– *Pues sí, tengo 200 pesos argentinos que me gustaría cambiar.*
Quiero ir de compras cuando salga del banco.
– *No hay problema, Sr. León.*
Pase Ud. por la caja número 2.
Allí le cambiarán el dinero.
– *Muchas gracias.*
– *De nada, señor.*

¡Excelente! Deseamos que todo le vaya bien en Chile a Fernando. Éste es el final del capítulo 3. ¡Muchas gracias ... y... hasta luego!

Capítulo 4

Horizontes, una compañía de Argentina que importa el Jerez y otros vinos españoles, necesita emplear un contador para su sucursal en Brasil. Juliana León contestó su anuncio de empleo. Hoy se entrevista con el jefe de personal, Miguel Quintero. ¡Escuche!

Sr. Quintero: *Buenos días, Srta. León. Siéntese, por favor.*
Srta. León: *Gracias.*
Sr. Quintero: *Nos dijo en su carta que Ud. trabajó en el departamento de contabilidad de una empresa en Buenos Aires.*

¡Conteste!

¿Está Juliana León en una entrevista de trabajo?	Sí, está en una entrevista de trabajo.
Hasta hace poco, ¿trabajaba ella en Caracas?	No, no trabajaba en Caracas.
¿Dónde trabajaba?	Trabajaba en Buenos Aires.
¿Trabajaba en una escuela o en una empresa?	Trabajaba en una empresa.
¿En qué departamento de la empresa estaba trabajando?	Estaba trabajando en el departamento de contabilidad.

Bien. ¡Ahora escuche!

Sr. Quintero: *Dígame, ¿de qué se ocupaba Ud.?*

Srta. León: *Bueno, la compañía exportaba frutas. Yo estaba encargada de organizar los datos financieros que nos llegaban de las sucursales. Después los daba a mi jefe y él se encargaba de analizarlos y preparar los informes.*

Sr. Quintero: *Hmm … parece que era un puesto interesante.*

¡Conteste!

¿Exportaba café la compañía de la Srta. León?	No, no exportaba café.
¿Qué exportaba?	Exportaba frutas.
¿Le preguntó el Sr. Quintero a la Srta. León de qué se ocupaba?	Sí, le preguntó de qué se ocupaba.
¿Estaba la Srta. León encargada del departamento de personal?	No, no estaba encargada del departamento de personal.
¿Estaba encargada de organizar los datos financieros?	Sí, estaba encargada de organizar los datos financieros.

Bien. ¡Ahora escuche!

Sr. Quintero: *Hmm … parece que era un puesto interesante. ¿Le gustaba?*

Srta. León: *Sí, era muy interesante. Me gustaba mucho.*

Sr. Quintero: *¿Y por qué decidió buscar otro trabajo?*

Srta. León: *Porque me gustaría tener un puesto con más responsabilidad y con más oportunidades de usar los tres idiomas que sé.*

Sr. Quintero: *Ah, sí, … Veo que habla portugués.*

¡Conteste!

¿Dijo la Srta. León que le gustaba su trabajo?	Sí, dijo que le gustaba su trabajo.
Pero ahora quiere un puesto con más responsabilidad, ¿verdad?	Sí, ahora quiere un puesto con más responsabilidad.
¿Dijo ella que hablaba sólo un idioma?	No, no dijo que hablaba sólo un idioma.
¿Cuántos idiomas dijo que hablaba?	Dijo que hablaba tres idiomas.

Bien. ¡Escuche!

Sr. Quintero: *Ah, sí, … Veo que habla portugués. Nos interesa, ya que tenemos una sucursal en Brasil y es necesario que nuestro personal sepa, o al menos comprenda, este idioma.*

Srta. León: *Sí, lo hablo bastante bien, y también hablo inglés. Teníamos algunos clientes de Inglaterra, y yo me encargaba de atenderlos.*

¡Conteste!

¿Le dijo el Sr. Quintero a la Srta. León que tenían una sucursal en Italia?	No, no le dijo que tenían una sucursal en Italia.
¿Dónde dijo que la tenían?	Dijo que la tenían en Brasil.
¿Es necesario que el personal sepa francés en esa sucursal?	No, no es necesario que sepa francés.

Pero es necesario que sepa portugués, ¿verdad? Sí, es necesario que sepa portugués.

Bien. ¡Ahora escuche!

Sr. Quintero: *¿Y cuál es su experiencia con computadoras?*

Srta. León: *Conozco bien Lotus 1-2-3, y Excel. También sé trabajar con Access.*

¡Conteste!

¿Tiene experiencia con computadoras la Srta. León? Sí, tiene experiencia con computadoras.

¿Conoce solamente un programa de computadora? No, no conoce solamente un programa de computadora.

Conoce varios programas, ¿verdad? Sí, conoce varios programas.

Bien. ¡Escuche!

Sr. Quintero: *Bien, señorita, parece que Ud. tiene bastante experiencia, pero tengo que decirle que aún nos falta entrevistar algunos candidatos más.*

Srta. León: *Cómo no, Sr. Quintero, lo entiendo.*

Sr. Quintero: *Muchas gracias por venir, Srta. León. Puede ser que la llamemos la semana próxima para una segunda entrevista.*

Srta. León: *De acuerdo. Muchas gracias, Sr. Quintero. Esperaré su decisión.*

¡Conteste!

¿Decidió el Sr. Quintero darle el puesto a la Srta. León? No, no decidió darle el puesto.

Pero, ¿puede ser que él la llame otra vez? Sí, puede ser que él la llame otra vez.

¿La llamará el año próximo? No, no la llamará el año próximo.

¿Es posible que la llame pronto? Sí, es posible que la llame pronto.

Perdón, ¿cuándo es posible que la llame? Es posible que la llame pronto.

¡Repita!

El Sr. Quintero la llamará pronto.
Es posible que la llame pronto.

Importaremos frutas.
Puede ser que importemos ... Puede ser que importemos frutas.

Ud. va a la entrevista hoy.
Es posible que ... Es posible que Ud. vaya a la entrevista hoy.

Muchos candidatos solicitarán el empleo.
Quizás ... Quizás muchos candidatos soliciten el empleo.

¡Excelente! Ahora, escuche y repita!

– *Buenos días, Srta. León. Siéntese, por favor.*
– *Gracias.*
– *Nos dijo en su carta que trabajó Ud.*
en el departamento de contabilidad de una empresa en Buenos Aires.
Dígame, ¿de qué se ocupaba Ud.?

– *Bueno, la compañía exportaba frutas.*
Yo estaba encargada de organizar los datos financieros
que nos llegaban de las sucursales.
Después los daba a mi jefe
y él se encargaba de analizarlos y preparar los informes.
– *Hmm … parece que era un puesto interesante.*
¿Le gustaba?
– *Sí, era muy interesante.*
Me gustaba mucho.
– *¿Y por qué decidió buscar otro trabajo?*
– *Porque me gustaría tener un puesto con más responsabilidad*
y con más oportunidades de usar los tres idiomas que sé.
– *Ah, sí, … Veo que habla portugués.*
Nos interesa, ya que tenemos una sucursal en Brasil
y es necesario que nuestro personal sepa, o al menos comprenda, este idioma.
– *Sí, lo hablo bastante bien,*
y también hablo inglés.
Teníamos algunos clientes de Inglaterra,
y yo me encargaba de atenderlos.
– *¿Y cuál es su experiencia con computadoras?*
– *Conozco bien Lotus 1-2-3, y Excel.*
También sé trabajar con Access.
– *Bien, señorita, parece que Ud. tiene bastante experiencia,*
pero tengo que decirle que aún nos falta entrevistar algunos candidatos más.
– *Cómo no, Sr. Quintero, lo entiendo.*
– *Muchas gracias por venir, Srta. León.*
Puede ser que la llamemos la semana próxima
para una segunda entrevista.
– *De acuerdo. Muchas gracias, Sr. Quintero.*
Esperaré su decisión.

¡Fantástico! ¡Ojalá que Juliana consiga el puesto! Éste es el final del capítulo 4. ¡Gracias … y … hasta luego!

Capítulo 5

¡Escuche! Los hijos de Alejandro García y Tomás Camejo juegan juntos en el equipo de fútbol de la Escuela Simón Bolívar en Caracas. Los padres acaban de encontrarse en el estadio unos minutos antes de empezar el partido. ¡Escuche!

Tomás: *¿Qué tal, Alejandro?*
Alejandro: *¡Hola, Tomás!*
Tomás: *Hace un día estupendo para el partido, ¿verdad?*

Alejandro: *Maravilloso ... Por suerte, hoy tengo el día libre.*

¡Conteste!

¿Acaban de encontrarse Alejandro y Tomás en el cine?	No, no acaban de encontrarse en el cine.
¿Dónde acaban de encontrarse?	Acaban de encontrarse en el estadio.
¿Están allí para ver un partido de tenis o de fútbol?	Están allí para ver un partido de fútbol.
Sus hijos juegan en el mismo equipo, ¿verdad?	Sí, juegan en el mismo equipo.

Bien. ¡Escuche!

Alejandro: *Es una lástima que yo no pueda venir más a menudo a los partidos. Normalmente, tengo que trabajar los sábados.*

Tomás: *Pues me alegro que puedas estar aquí. Hoy juegan el penúltimo partido de la liga.*

Alejandro: *Sí, ¡ojalá que jueguen bien!*

¡Conteste!

¿Tienen lugar los partidos los sábados o los domingos?	Tienen lugar los sábados.
Normalmente, ¿está libre Alejandro los sábados?	No, normalmente no está libre los sábados.
Normalmente tiene que trabajar, ¿verdad?	Sí, normalmente tiene que trabajar.
¿Tiene Alejandro que trabajar hoy, o está libre?	Está libre.
¿Puede venir Alejandro al partido?	Sí, puede venir al partido.
¿Se alegra Tomás que Alejandro pueda venir?	Sí, se alegra que Alejandro pueda venir.

Muy bien. ¡Escuche!

Alejandro: *¡Ojalá que jueguen bien! Los muchachos entrenan sin descansar.*

Tomás: *Alejandro, ¿viste el partido de la semana pasada? Fue muy emocionante.*

Alejandro: *No, no pude venir.*

Tomás: *¡Qué pena! ¡Todo el equipo jugó de maravilla! En la segunda parte estaban perdiendo y cinco minutos antes del final marcaron dos goles.*

¡Conteste!

¿Jugaron los muchachos un partido la semana pasada?	Sí, jugaron un partido la semana pasada.
¿Fue el partido aburrido o muy emocionante?	Fue muy emocionante.
¿Jugaron bien los chicos?	Sí, jugaron bien.
Jugaron de maravilla, ¿verdad?	Sí, jugaron de maravilla.
¿Ganaron o perdieron el partido?	Lo ganaron.

Bien. ¡Escuche!

Alejandro: *Mi hijo estaba contentísimo. Pero estoy preocupado porque dudo que tengan bastante tiempo para estudiar con tantos partidos.*

Tomás: *No te preocupes, Alejandro. El partido final será el próximo sábado y aún les quedará casi un mes hasta que empiecen los exámenes.*

Alejandro: *Puede que tengas razón, Tomás. ... A propósito, ¿contra qué equipo juegan hoy?*

Tomás: *Contra el de la Escuela San Rafael ...*

¡Conteste!

¿Cuándo será el partido, antes o después de los exámenes?	Será antes de los exámenes.
Los muchachos tienen que estudiar, ¿verdad?	Sí, tienen que estudiar.
A Alejandro le preocupa que no tengan tiempo para estudiar, ¿verdad?	Sí, le preocupa que no tengan tiempo para estudiar.

Muy bien.

Mientras hablan, se oye el pito del árbitro indicando el comienzo del partido. ¡Escuche!

Alejandro: *... ¿contra qué equipo juegan hoy?*

Tomás: *Contra el de la Escuela San Rafael ... Tienen un equipo fantástico. Sólo perdieron tres partidos en todo el año.*

Alejandro: *¿Crees que tendremos posibilidades de ganar?*

Tomás: *Estoy seguro que harán todo lo posible, pero no creo que sea fácil.*

¡Conteste!

¿Cree Tomás que los muchachos jugarán bien?	Sí, cree que jugarán bien.
¿Está seguro que harán todo lo posible?	Sí, está seguro que harán todo lo posible.
Pero no está seguro que ganen, ¿verdad?	No, no está seguro que ganen.
Perdón, ¿de qué no está seguro?	No está seguro que ganen.

Bien.

¡Repita!

Tomás está seguro que ganarán.
No está seguro que ganen.

Tomás cree que no será fácil. No cree que sea ...	No cree que sea fácil.
No ganarán fácilmente. No cree que ...	No cree que ganen fácilmente.
No jugarán mal. No cree ...	No cree que jueguen mal.
No tendrán tiempo para estudiar. No ...	No cree que tengan tiempo para estudiar.

Muy bien.

¡Escuche! En este momento uno de los jugadores de la escuela de sus hijos toma posesión de la pelota.

Alejandro: *¡Mira, Tomás! ¡Va a marcar un gol ... ¡Gol! ¡G-O-O-O-L!*
Tomás: *¡Fantástico!*

¡Conteste!

¿Pasó algo?	Sí, pasó algo.
¿Terminó el partido?	No, no terminó.
Marcaron un gol, ¿verdad?	Sí, marcaron un gol.

Muy bien. Ahora, escuche el diálogo de nuevo. ¡Escuche y repita!

– *¿Qué tal, Alejandro?*
– *¡Hola, Tomás!*
– *Hace un día estupendo para el partido, ¿verdad?*
– *Maravilloso ... Por suerte, hoy tengo el día libre.*
Es una lástima que yo no pueda venir más a menudo a los partidos.
Normalmente tengo que trabajar los sábados.
– *Pues me alegro que puedas estar aquí.*
Hoy juegan el penúltimo partido de la liga.
– *Sí, ¡ojalá que jueguen bien!*
Los muchachos entrenan sin descansar.
– *Alejandro,¿viste el partido de la semana pasada?*
Fue muy emocionante.
– *No, no pude venir.*
– *¡Qué pena!*
¡Todo el equipo jugó de maravilla!
En la segunda parte estaban perdiendo
y cinco minutos antes del final marcaron dos goles.
– *Mi hijo estaba contentísimo.*
Pero estoy preocupado
porque dudo que tengan bastante tiempo para estudiar con tantos partidos.
– *No te preocupes, Alejandro.*
El partido final será el próximo sábado
y aún les quedará casi un mes hasta que empiecen los exámenes.
– *Puede que tengas razón, Tomás.*
A propósito, ¿contra qué equipo juegan hoy?
– *Contra el de la Escuela San Rafael.*
Tienen un equipo fantástico.
Sólo perdieron tres partidos en todo el año.
– *¿Crees que tendremos posibilidades de ganar?*
– *Estoy seguro que harán todo lo posible,*
pero no creo que sea fácil.

– *¡Mira, Tomás!*
  Va a marcar un gol ... ¡Gol! ¡G-O-O-O-L!
– *¡Fantástico!*

¡Muy bien! Ojalá que los muchachos ganen el partido. Éste es el final del capítulo 5. ¡Muchas gracias y ... hasta pronto!

Capítulo 6

Juliana León acaba de mudarse a Río de Janeiro, en Brasil. Ahora llama a su hermano Fernando por teléfono. ¡Escuche!

Fernando: ¿Hola?
Juliana: ¡Hola Fernando! Soy Juliana. No sabía si te iba a encontrar en casa.
Fernando: ¡Juliana! ¡Qué sorpresa! ¿Cómo estás?
Juliana: Bien. ¿Y tú?
Fernando: Bien. Pero dime, ¿de dónde estás llamando? ¿Ya te mudaste?
Juliana: Sí, hace un par de días que me mudé.

¡Conteste!

¿A quién llamó Juliana, a su hermano?	Sí, llamó a su hermano.
¿Sabía ella si lo iba a encontrar en casa?	No, no sabía si lo iba a encontrar en casa.
¿Lo encontró en casa o no lo encontró?	Lo encontró en casa.
¿Ya se mudó Juliana a Río de Janeiro?	Sí, ya se mudó.
¿Hace mucho que se mudó?	No, no hace mucho que se mudó.
Hace un par de días que se mudó, ¿verdad?	Sí, hace un par de días que se mudó.

Bien. ¡Ahora escuche!

Fernando: ¿Ya te mudaste?
Juliana: Sí, hace un par de días que me mudé.
Fernando: Pero hace bastante tiempo que ni escribes ni llamas.
Juliana: Discúlpame, pero estoy tan ocupada con la mudanza que no tengo tiempo para nada. Aún tengo todo en cajas.
Fernando: Espero que alguien pueda ayudarte a poner las cosas en su lugar.
Juliana: ¡Ah, sí! Esta mañana le pedí ayuda a Isabel, mi vecina.

¡Conteste!

¿Hace bastante tiempo que Juliana no le escribe a Fernando?	Sí, hace bastante tiempo que no le escribe.
Hace bastante tiempo que ni escribe ni llama, ¿verdad?	Sí, hace bastante tiempo que ni escribe ni llama.
¿Tiene mucho tiempo libre o está muy ocupada?	Está muy ocupada.
¿Necesita ayuda para poner las cosas en su lugar?	Sí, necesita ayuda para poner las cosas en su lugar.
¿Le pidió ayuda a su jefe?	No, no le pidió ayuda a su jefe.

¿A quién le pidió ayuda? — Le pidió ayuda a su vecina, Isabel.

Bien. ¡Escuche!

Juliana: *... Esta mañana le pedí ayuda a Isabel, mi vecina. Nos conocimos en el ascensor. Es una muchacha muy simpática.*

Fernando: *¿Isabel? ... Hum ... Dime más ... ¿cuántos años tiene?*

Juliana: *Ay, Fernando. ¡Qué simpático que te interese mi vecina! Fíjate que es de tu misma edad y, ¡no tiene novio! La conocerás cuando vengas de vacaciones. Ya le hablé mucho de ti.*

Fernando: *Espero que sólo lo bueno ... ¿Y qué más? ¿Te gusta Río de Janeiro?*

Juliana: *¡Ah, sí! Es una ciudad maravillosa. Me encantan sus calles y sus playas. Cuando vengas, te la mostraré toda.*

¡Conteste!

¿Pregunta Fernando qué edad tiene Isabel?	Sí, pregunta qué edad tiene.
Parece que ella le interesa, ¿verdad?	Sí, parece que ella le interesa.
¿Se conocieron las chicas en la oficina?	No, no se conocieron en la oficina.
¿Dónde se conocieron?	Se conocieron en el ascensor.
¿Vendrá Fernando de vacaciones?	Sí, vendrá de vacaciones.
¿Ya conoció Fernando a Isabel?	No, aún no la conoció.
Pero la conocerá cuando venga de vacaciones, ¿verdad?	Sí, la conocerá cuando venga de vacaciones.
Muy bien.	

¡Ahora repita!

Vendrá de vacaciones.

La conocerá cuando venga de vacaciones.

Llegará allí. La conocerá cuando ...	La conocerá cuando llegue allí.
Estará en Río de Janeiro. La conocerá ...	La conocerá cuando esté en Río de Janeiro.
Visitará a su hermana. La ...	La conocerá cuando visite a su hermana.
Irá a Brasil.	La conocerá cuando vaya a Brasil.

Muy bien. ¡Escuche!

Juliana: *Río es una ciudad maravillosa. Cuando vengas, te la mostraré toda.*

Fernando: *Parece que te encanta.*

Juliana: *¡Y cómo! Pero aún no la conozco bien. Todavía tengo que llevar un plano cuando salgo para no perderme ... Bueno, Fernando, tengo sueño y quiero dormir. Ahora te dejo. Dale saludos al resto de la familia cuando les hables.*

Fernando: *Claro, Juliana. Gracias por llamar. Y no te olvides de escribir de vez en cuando.*

Juliana: *Te lo prometo, Fernando. Hasta luego.*

¡Conteste!

Parece que a Juliana le encanta Río de Janeiro, ¿verdad? — Sí, parece que le encanta.

¿Ya conoce bien Juliana la ciudad? — No, todavía no la conoce bien.

¿Qué necesita llevar cuando sale? — Necesita llevar un plano.

¿Se despide Juliana de Fernando? — Sí, se despide de Fernando.

¿Le agradece Fernando la llamada? — Sí, le agradece la llamada.

Le pide Fernando a Juliana que no deje de escribir? — Sí, le pide que no deje de escribir.

Muy bien. Escuche todo el dialógo otra vez, pero ahora escuche y repita.

– *¿Hola?*
– *¡Hola Fernando! Soy Juliana.*
  No sabía si te iba a encontrar en casa.
– *¡Juliana! ¡Qué sorpresa!*
  ¿Cómo estás?
– *Bien. ¿Y tú?*
– *Bien. Pero dime, ¿de dónde estás llamando?*
  ¿Ya te mudaste?
– *Sí, hace un par de días que me mudé.*
– *Pero hace bastante tiempo que ni escribes ni llamas.*
– *Discúlpame, pero estoy tan ocupada con la mudanza*
  que no tengo tiempo para nada.
  Aún tengo todo en cajas.
– *Espero que alguien pueda ayudarte a poner las cosas en su lugar.*
– *¡Ah, sí!*
  Esta mañana le pedí ayuda a Isabel, mi vecina.
  Nos conocimos en el ascensor.
  Es una muchacha muy simpática.
– *¿Isabel? … Hum … Dime más … ¿cuántos años tiene?*
– *Ay, Fernando. ¡Qué simpático que te interese mi vecina!*
  Fíjate que es de tu misma edad
  y, ¡no tiene novio!
  La conocerás cuando vengas de vacaciones.
  Ya le hablé mucho de ti.
– *Espero que sólo lo bueno.*
  ¿Y qué más? ¿Te gusta Río de Janeiro?
– *¡Ah, sí! Es una ciudad maravillosa.*
  Me encantan sus calles y sus playas.
  Cuando vengas, te la mostraré toda.
– *Parece que te encanta.*
– *¡Y cómo! Pero aún no la conozco bien.*
  Todavía tengo que llevar un plano cuando salgo para no perderme …

Bueno, Fernando, tengo sueño y quiero dormir.
Ahora te dejo.
Dale saludos al resto de la familia cuando les hables.

– *Claro, Juliana. Gracias por llamar.*
  Y no te olvides de escribir de vez en cuando.
– *Te lo prometo, Fernando. Hasta luego.*

¡Muy bien! ¡Buenas noches, Juliana! Éste es el final del capítulo 6. ¡Muchas gracias y … hasta el próximo capítulo!

Capítulo 7

Cristina Salinas y Pedro Quevedo han fijado la fecha para su boda. Quieren encontrar un apartamento que sea conveniente y, por eso, Pedro está leyendo los anuncios en el periódico. ¡Escuche!

Cristina: *Pedro, ¿has encontrado algo?*
Pedro: *Ya he visto algunos que pueden interesarnos.*
Cristina: *¡Qué bueno! Déjame ver contigo …*
Pedro: *Lo malo es que muchos de estos anuncios no dicen cuánto es el alquiler. Tendremos que llamar.*

¡Conteste!

¿Se van a casar Cristina y Pedro?	Sí, se van a casar.
¿Han fijado ya la fecha de su boda?	Sí, ya han fijado la fecha de su boda.
¿Han conseguido ya un apartamento?	No, aún no han conseguido un apartamento.
¿Quieren encontrar un apartamento que sea conveniente?	Sí, quieren encontrar un apartamento que sea conveniente.

Bien. ¡Escuche!

Pedro: *¿Has visto éste? El edificio tiene gimnasio.*
Cristina: *No, no. ¡Seguramente costará un ojo de la cara! Sigue leyendo.*
Pedro: *A ver éste. Dice "muy céntrico, con 2 dormitorios".*
Cristina: *Ése sí que parece mejor.*
Pedro: *Voy a llamar ahora mismo … 542-9060.*

¡Conteste!

¿Ha encontrado Pedro un apartamento que le gusta?	Sí, ha encontrado un apartamento que le gusta.
¿Tiene gimnasio el edificio?	Sí, tiene gimnasio.
¿Le parece bien a Cristina el edificio con gimnasio?	No, no le parece bien.
¿No le parece bien porque será muy barato o muy caro?	No le parece bien porque será muy caro.

Bien. ¡Ahora escuche!

Propietaria: *¿Aló?*
Pedro: *Hola, la llamo para pedir información sobre el apartamento …*
Propietaria: *Lo siento, señor, pero ya lo han alquilado.*
Pedro: *¡Ay, qué lástima! … gracias … (a Cristina) ¡Nada! Ya lo han tomado …*

¡Conteste!

¿Llamó Pedro a la propietaria?	Sí, la llamó.
¿Le ha preguntado sobre un coche?	No, no le ha preguntado sobre un coche.
¿Sobre qué le ha preguntado?	Le ha preguntado sobre un apartamento.
¿Ya han alquilado el apartamento?	Sí, ya lo han alquilado.
¿Le dijo el propietario que ya lo han alquilado?	Sí, le dijo que ya lo han alquilado.

Bien. ¡Escuche!

Cristina: *Aquí hay otro. También está cerca del centro. Voy a llamar … (marcando)*
Propietario: *¿Aló?*
Cristina: *Buenas tardes, señor. Llamo por el apartamento que he visto anunciado en el periódico. ¿Aún está disponible? ¿Puede darme más detalles?*
Propietario: *Sí, cómo no. Está en el segundo piso, sin amueblar y da al Parque Botánico. Tiene 2 dormitorios bastante grandes, sala y cocina. Es un apartamento muy bonito, y además, tiene puesto de estacionamiento.*
Cristina: *Ah, eso es muy importante, especialmente en el centro.*

¡Conteste!

¿Quién hace la llamada, Pedro o Cristina?	Cristina hace la llamada.
¿Ya han alquilado este apartamento?	No, aún no lo han alquilado.
¿Da el apartamento a una plaza o a un parque?	Da a un parque.
¿Está amueblado o no?	No está amueblado.
¿Tiene puesto de estacionamiento?	Sí, tiene puesto de estacionamiento.
¿Es eso muy importante en el centro?	Sí, eso es muy importante en el centro.

Bien. ¡Escuche!

Cristina: *… ¿Y cuánto es el alquiler?*
Propietario: *Son 120.000 bolívares, más un depósito de tres meses. El inquilino se encarga de los gastos mensuales de agua, luz y calefacción.*
Cristina: *… Hmm … Parece interesante …. Hablaré con mi novio y lo llamaremos si deseamos verlo. Muchas gracias por la información.*
Propietario: *No hay de qué, señorita. Adiós.*

¡Conteste!

¿Tiene el inquilino que dejar un depósito?	Sí tiene que dejar un depósito.
¿Incluye el alquiler los gastos mensuales?	No, no incluye los gastos mensuales.

¿Quién se encarga de los gastos mensuales, el propietario o el inquilino?	El inquilino se encarga de los gastos mensuales.
¿Ya han decidido tomar el apartamento Cristina y Pedro?	No, aún no han decidido tomarlo.

¡Muy bien! ¡Escuche otra vez y repita!

– *Pedro, ¿has encontrado algo?*
– *Ya he visto algunos que pueden interesarnos.*
– *¡Qué bueno! Déjame ver contigo …*
– *Lo malo es que muchos de estos anuncios no dicen cuánto es el alquiler.*
Tendremos que llamar.
¿Has visto éste?
El edificio tiene gimnasio.
– *No, no. ¡Seguramente costará un ojo de la cara!*
Sigue leyendo.
– *A ver éste.*
Dice "muy céntrico, con 2 dormitorios".
– *Ése sí que parece mejor.*
– *Voy a llamar ahora mismo.*
542-9060 …
– *¿Aló?*
– *Hola, la llamo para pedir información sobre el apartamento …*
– *Lo siento, señor, pero ya lo han alquilado.*
– *¡Ay, qué lástima! … gracias …*
¡Nada! Ya lo han tomado.
– *Aquí hay otro.*
También está cerca del centro.
Voy a llamar …
– *¿Aló?*
– *Buenas tardes, señor.*
Llamo por el apartamento que he visto anunciado en el periódico.
¿Aún está disponible?
¿Puede darme más detalles?
– *Sí, cómo no.*
Está en el segundo piso, sin amueblar,
y da al Parque Botánico.
Tiene dos dormitorios bastante grandes, sala, y cocina.
Es un apartamento muy bonito,
y además, tiene puesto de estacionamiento.
– *Ah, eso es muy importante, especialmente en el centro.*
¿Y cuánto es el alquiler?

– *Son 120.000 bolívares,*
más un depósito de tres meses.
El inquilino se encarga de los gastos mensuales de agua, luz y calefacción.
– *... Hmm ... Parece interesante ....*
Hablaré con mi novio y lo llamaremos si deseamos verlo.
Muchas gracias por la información.
– *No hay de qué, señorita. Adiós.*

¡Muy bien! Buena suerte para conseguir apartamento. Éste ha sido el final del capítulo 7. ¡Muchas gracias y adiós!

Capítulo 8

Manuel Salgado, mexicano, quería mostrarle algo típico de su país a un colega español, Fermín Redondo. Por eso lo invitó a ver un grupo de mariachis interpretar la música tradicional de México. Ahora el espectáculo acaba de terminar y los dos están saliendo del teatro. ¡Escuche!

Manuel: *(Cantando) "¡Ja-lis-co, ... Ja-lis-co, ... Ja-lis-co, tú tienes una novia en Guadalajara ...!" ¡Este grupo es estupendo! ¿Sabías que ha recibido varios premios?*

Fermín: *Sí, es un grupo increíble. Me ha gustado mucho.*

¡Conteste!

¿Quería Manuel mostrarle algo típico mexicano a Fermín?	Sí, quería mostrarle algo típico mexicano.
¿Lo invitó a ver un grupo flamenco?	No, no lo invitó a ver un grupo flamenco.
¿A qué lo invitó?	Lo invitó a ver un grupo de mariachis.
¿Le han gustado mucho los mariachis a Fermín?	Sí, le han gustado mucho.
¿Ha recibido varios premios el grupo?	Sí, ha recibido varios premios.

Bien. ¡Escuche!

Manuel: *¿Ya habías asistido alguna vez a un espectáculo de mariachis?*

Fermín: *Sí, claro, pero nunca había oído a un grupo como éste.*

Manuel: *(Cantando otra vez) "Con dinero y sin dinero ..."*

Fermín: *¡Nunca te había visto tan contento! ¿Qué te parece si seguimos la fiesta con un chocolate caliente?*

Manuel: *¡Me parece una idea fantástica!*

¡Conteste!

¿Ya había oído Fermín música de mariachis?	Sí, ya había oído música de mariachis.
Pero nunca había oído a un grupo como éste, ¿verdad?	No, nunca había oído a un grupo como éste.

AUDIOPROGRAMA

¿Está Manuel triste o muy contento? Está muy contento.

Fermín dijo que nunca lo había visto tan contento, ¿verdad? Sí, dijo que nunca lo había visto tan contento.

Muy bien.

Los dos colegas se fueron a una cafetería cercana. Ahora están sentados delante de sus chocolates calientes. ¡Escuche!

Fermín: *¡Hum, este chocolate está riquísimo!*

Manuel: *¿Sabías que los indios mexicanos usaban el chocolate no sólo como bebida, sino también como dinero?*

Fermín: *¡No me digas! ¡No lo sabía!*

Manuel: *Sí, fíjate que el emperador azteca Moctezuma sólo bebía chocolate en su copa de ceremonias.*

¡Conteste!

¿Qué tomaron los dos colegas en la cafetería, café o chocolate? Tomaron chocolate.

¿Hablaron sobre la historia del chocolate? Sí, hablaron sobre la historia del chocolate.

¿Dijo Manuel que el chocolate había sido muy importante para los indios? Sí, dijo que había sido muy importante para los indios.

¿Lo usaban solamente como bebida? No, no lo usaban solamente como bebida.

Manuel dijo que también lo habían usado como dinero, ¿no? Sí, dijo que también lo habían usado como dinero.

¿Lo bebía el emperador Moctezuma? Sí, lo bebía.

¿En qué lo bebía? Lo bebía en su copa de ceremonias.

Bien. ¡Escuche!

Manuel: *... fíjate que el emperador azteca Moctezuma sólo bebía chocolate en su copa de ceremonias. Y, ¡lo bebía con pimienta chile!*

Fermín: *¡¿Chocolate con pimienta?! ¡Qué horror!*

Manuel: *Sí, así se había bebido en México hasta la llegada de los españoles. Ellos no lo habían conocido antes, y cuando empezaron a beberlo, lo hicieron con leche y azúcar. Hoy en día, de esa forma, es parte de muchas de nuestras celebraciones.*

¡Conteste!

¿Conocían los indios el chocolate antes de la llegada de los españoles? Sí, conocían el chocolate antes de la llegada de los españoles.

Ya lo habían conocido, ¿verdad? Sí, ya lo habían conocido.

¿Ya lo habían bebido? Sí, ya lo habían bebido.

¿Dijo Manuel que los indios lo habían bebido con leche? No, no dijo que lo habían bebido con leche.

Hasta la llegada de los españoles no lo habían bebido con leche, ¿verdad? No, hasta la llegada de los españoles no lo habían bebido con leche.

Hasta entonces lo habían bebido con pimienta, ¿verdad?	Sí, hasta entonces lo habían bebido con pimienta.

Muy bien. ¡Escuche!

Fermín: *Bueno, no sólo en México. El chocolate es popular en todo el mundo.*

Manuel: *Pues ya ves, Fermín, lo que México le ha dado al resto del mundo. Hum … aaah … delicioso.*

Fermín: *Ja, ja. Permíteme, Manuel, que te ofrezca una servilleta y, por favor, límpiate el bigote de chocolate, pues ahora sí que pareces un mariachi, ja, ja, ja …*

¡Conteste!

¿Le gusta mucho el chocolate a Manuel?	Sí, le gusta mucho.
¿Qué le ha dado México al mundo?	México le ha dado el chocolate al mundo.
Eso lo dice Manuel, ¿verdad?	Sí, lo dice Manuel.
¿Le ofrece Fermín una servilleta?	Sí, le ofrece una servilleta.
Le ofrece una servilleta para que se limpie el bigote, ¿verdad?	Sí, le ofrece una servilleta para que se limpie el bigote.
¿Es el chocolate popular sólo en México?	No, no es popular sólo en México.
Es popular en muchos lugares del mundo, ¿verdad?	Sí, es popular en muchos lugares del mundo.

Bien. ¡Ahora escuche el diálogo otra vez! ¡Escuche y repita!

– *"¡Ja-lis-co, … Ja-lis-co, … Ja-lis-co, tú tienes una novia en Guadalajara …"*
  ¡Este grupo es estupendo!
  ¿Sabías que ha recibido varios premios?
– *Sí, es un grupo increíble.*
  Me ha gustado mucho.
– *¿Ya habías asistido alguna vez*
  a un espectáculo de mariachis?
– *Sí, claro, pero nunca había oído a un grupo como éste.*
– *"Con dinero y sin dinero …"*
– *¡Nunca te había visto tan contento!*
  ¿Qué te parece si seguimos la fiesta con un chocolate caliente?
– *¡Me parece una idea fantástica!*
– *¡Hum, este chocolate está riquísimo!*
– *¿Sabías que los indios mexicanos usaban el chocolate*
  no sólo como bebida,
  sino también como dinero?
– *¡No me digas! ¡No lo sabía!*
– *Sí, fíjate que el emperador azteca Moctezuma*
  sólo bebía chocolate en su copa de ceremonias.
  Y, ¡lo bebía con pimienta chile!

- *¡¿Chocolate con pimienta?! ¡Qué horror!*
- *Sí, así se había bebido en México hasta la llegada de los españoles.*
  Ellos no lo habían conocido antes,
  y cuando empezaron a beberlo,
  lo hicieron con leche y azúcar.
  Hoy en día, de esa forma, es parte de muchas de nuestras celebraciones.
- *Bueno, no sólo en México.*
  El chocolate es popular en todo el mundo.
- *Pues ya ves, Fermín,*
  lo que México le ha dado al resto del mundo.
  Hum ... aaah ... delicioso.
- *Ja, ja. Permíteme, Manuel, que te ofrezca una servilleta*
  y, por favor, límpiate el bigote de chocolate,
  pues ahora sí que pareces un mariachi, ja, ja, ja ...

¡Muy bien! ¡Qué noche tan divertida: mariachis y chocolate! Pero éste es el final del capítulo 8. ¡Muchas gracias ... y ... hasta pronto!

Capítulo 9

Ana María Salgado entra en una tienda de software. ¡Escuche!

Vendedor: *Buenos días, señora. ¿Puedo mostrarle algo?*

Sra. Salgado: *Ah, sí, señor, estoy buscando un programa para mi hija.*

Vendedor: *¿Qué tipo de programa le interesa? ¿Un videojuego? ¿Un programa educativo?*

Sra. Salgado: *Prefiero algo que sea educativo, que le ayude con sus tareas de la escuela.*

¡Conteste!

¿Entra la Sra. Salgado en una tienda de ropa?	No, no entra en una tienda de ropa.
¿Dónde entra?	Entra en una tienda de software.
¿Está buscando un programa para su esposo o su hija?	Está buscando un programa para su hija.
Prefiere comprar algo que sea educativo, ¿no?	Sí, prefiere comprar algo que sea educativo.

Bien. ¡Escuche!

Sra. Salgado: *Prefiero algo que sea educativo, que le ayude con sus tareas de la escuela.*

Vendedor: *Bien, tenemos varios. Puedo mostrarle uno que fue introducido al mercado hace poco y que pronto será usado en muchas escuelas. Seguro que le gustará.*

¡Conteste!

¿Puede el vendedor mostrarle un programa que fue introducido al mercado hace poco? — Sí, puede mostrarle uno que fue introducido al mercado hace poco.

¿Será usado en los supermercados? — No, no será usado en los supermercados.

¿Dónde será usado? — Será usado en las escuelas.

Muy bien. ¡Ahora escuche!

Vendedor: *... Seguro que le gustará.*

Sra. Salgado: *Estupendo. ¿En qué consiste?*

Vendedor: *Se ofrece en dos formas: matemáticas e inglés. Pero también se ofrecen programas para practicar otras materias: ciencia, historia, cálculo, etc. ... Estoy seguro que tendrán gran éxito.*

Sra. Salgado: *¿Podemos probar el programa de matemáticas?*

Vendedor: *Cómo no.*

¡Conteste!

¿Se ofrece el programa en matemáticas e inglés? — Sí, se ofrece en matemáticas e inglés.

¿Se pueden comprar otros programas para otras materias? — Sí, se pueden comprar otros programas para otras materias.

¿Qué programa quiere probar la Sra. Salgado, el de inglés o el de matemáticas? — Quiere probar el programa de matemáticas.

Bien. ¡Escuche!

Sra. Salgado: *¿Podemos probar el programa de matemáticas?*

Vendedor: *Cómo no ... Aquí lo tiene. Ponga el disco en la computadora ... Sí, así es ... Bien, el comenzar es fácil, el niño sólo tiene que escribir su nombre y edad. El programa entonces adapta la dificultad y la duración de las sesiones a la edad del alumno.*

Sra. Salgado: *Dígame, ¿fue diseñado especialmente para niños este programa?*

Vendedor: *Exactamente ...*

¡Conteste!

¿Le muestra el vendedor el programa a la Sra. Salgado? — Sí, le muestra el programa.

¿Es difícil el comenzar? — No, no es difícil.

¿Es necesario que el niño escriba algo al comenzar? — Sí, es necesario que escriba algo al comenzar.

¿Qué tiene que escribir? — Tiene que escribir su nombre y su edad.

Bien. ¡Escuche!

Vendedor: *Ahora, fíjese que cuando comienza se ven un reloj y una carita en la pantalla. El reloj marcará cuánto tiempo queda para contestar. Y la carita cambia de expresión, dependiendo de la respuesta.*

Sra. Salgado: *Bien, vamos a probarlo ... ¿Cómo funciona? ¿Qué tengo que hacer?*

Vendedor:	*Bueno, probemos el primer problema ... ¿Ve Ud.? ... Escoja entre las tres respuestas que se ven en la pantalla ... entonces, lleve el cursor a la respuesta correcta y después pulse "ENTER".*
Sra. Salgado:	*¡Ajá! ... ¡Parece que contesté bien! ¡La carita está sonriéndose!*
Vendedor:	*Eso es.*

¡Conteste!

¿Explica el vendedor adónde llevar el cursor?	Sí, explica adónde llevar el cursor.
¿Contestó mal o contestó bien la Sra. Salgado?	Contestó bien.
Lo sabe porque la carita está sonriéndose, ¿verdad?	Sí, lo sabe porque la carita está sonriéndose.

Bien. ¡Ahora escuche!

Sra. Salgado:	*¡Ajá! ¡Parece que contesté bien! ¡La carita está sonriéndose!*
Vendedor:	*Eso es. Y le está diciendo que siga ... ¿Ve? Y al final de cada lección le indicará cuantas respuestas han sido correctas.*
Sra. Salgado:	*Vaya ... eso es genial. ¿Tiene alguna información escrita para leer en casa?*
Vendedor:	*Sí, sí, ... Aquí está.*
Sra. Salgado:	*¡Muchas gracias por su ayuda!*

¡Conteste!

¿Le gusta el programa a la Sra. Salgado?	Sí, le gusta.
¿Le pide información escrita al vendedor?	Sí, le pide información escrita.
¿Quiere leerla en la tienda o en casa?	Quiere leerla en casa.

Muy bien. Ahora escuche el diálogo de nuevo. ¡Escuche y repita!

– *Buenos días, señora. ¿Puedo mostrarle algo?*
– *Ah, sí, señor,*
  estoy buscando un programa para mi hija.
– *¿Qué tipo de programa le interesa?*
  ¿Un videojuego? ¿Un programa educativo?
– *Prefiero algo que sea educativo,*
  que le ayude con sus tareas de la escuela.
– *Bien, tenemos varios.*
  Puedo mostrarle uno que fue introducido al mercado hace poco
  y que pronto será usado en muchas escuelas.
  Seguro que le gustará.
– *Estupendo. ¿En qué consiste?*
– *Se ofrece en dos formas:*
  matemáticas e inglés.
  Pero también se ofrecen programas para practicar otras materias:
  ciencia, historia, cálculo, etc. ...
  Estoy seguro que tendrán gran éxito.

– *¿Podemos probar el programa de matemáticas?*
– *Cómo no … Aquí lo tiene.*
Ponga el disco en la computadora …
Sí, así es …
Bien, el comenzar es fácil,
el niño sólo tiene que escribir su nombre y edad.
El programa entonces adapta la dificultad y la duración de las sesiones
a la edad del alumno.
– *Dígame, ¿fue diseñado especialmente para niños este programa?*
– *Exactamente …*
Ahora, fíjese que cuando comienza
se ven un reloj y una carita en la pantalla.
El reloj marcará cuanto tiempo queda para contestar.
Y la carita cambia de expresión, dependiendo de la respuesta.
– *Bien, vamos a probarlo …*
¿Cómo funciona? ¿Qué tengo que hacer?
– *Bueno, probemos el primer problema … ¿Ve Ud.? …*
Escoja entre las tres respuestas que se ven en la pantalla …
entonces, lleve el cursor a la respuesta correcta
y después pulse "ENTER".
– *¡Ajá! … ¡Parece que contesté bien!*
¡La carita está sonriéndose!
– *Eso es. Y le está diciendo que siga. … ¿Ve?*
Y al final de cada lección le indicará cuantas respuestas han sido correctas.
– *Vaya … eso es genial.*
¿Tiene alguna información escrita para leer en casa?
– *Sí, sí, … Aquí está.*
– *¡Muchas gracias por su ayuda!*

¡Perfecto! Esperamos que a la hija de la Sra. Salgado le guste el programa. Éste es el final del capítulo 9. ¡Muchas gracias y … hasta luego!

Capítulo 10

A Lola Reyes, la directora de la empresa Montel en Caracas, le han pedido una entrevista para el periódico del colegio de sus hijos. La entrevista un alumno de 16 años. ¡Escuche!

Alumno: *Sra. Reyes, cuando usted estudiaba en el liceo, ¿pensó alguna vez que podría ser directora de una empresa?*

Sra Reyes: *¡No, nunca!*

¡Conteste!

¿Es secretaria la Sra. Reyes?	No, no es secretaria.
¿Qué es dentro de su empresa?	Es la directora.
¿Le han pedido una entrevista para un periódico?	Sí, le han pedido una entrevista para un periódico.

¿Es para un periódico de la ciudad o del colegio?	Es para un periódico del colegio.
¿Hace la entrevista un profesor?	No, no la hace un profesor.
La hace un alumno, ¿verdad?	Sí, la hace un alumno.

Bien. ¡Ahora escuche!

Sra Reyes: *A esa edad no sabía qué quería hacer en el futuro. Pero estudiaba mucho para superar mis asignaturas y poder elegir una buena profesión.*

Alumno: *¿Le aconsejaron sus profesores qué carrera sería la mejor para usted?*

Sra Reyes: *Me dijeron que debería estudiar algo de ciencias, por ejemplo matemáticas.*

¡Conteste!

¿Habla la Sra. Reyes sobre sus estudios en el liceo?	Sí, habla sobre sus estudios en el liceo.
¿Dijo ella que estudiaba poco o mucho?	Dijo que estudiaba mucho.
¿Estudiaba mucho porque quería elegir una buena profesión?	Sí, estudiaba mucho porque quería elegir una buena profesión.
¿Le dijeron sus profesores que debería estudiar idiomas?	No, no le dijeron que debería estudiar idiomas.
Le dijeron que debería estudiar ciencias, ¿verdad?	Sí, le dijeron que debería estudiar ciencias.
Perdón, ¿qué le dijeron que debería estudiar?	Le dijeron que debería estudiar ciencias.

Bien.

¡Repita!

Le dicen que debe estudiar ciencias.
Le dijeron que debería estudiar ciencias.

Le dicen que tiene muchas oportunidades. Le dijeron que tendría …	Le dijeron que tendría muchas oportunidades.
Le dicen qué carrera es mejor para ella. Le dijeron qué carrera …	Le dijeron qué carrera sería mejor para ella.
Le dicen que puede superar las asignaturas. Le dijeron …	Le dijeron que podría superar las asignaturas.

Muy bien. ¡Ahora escuche!

Alumno: *¿Y qué estudió? ¿Siguió ese consejo?*

Sra Reyes: *(riéndose) Bueno, estudié psicología, pero después me interesé en temas económicos, y al terminar hice una Maestría en Dirección de Empresas.*

Alumno: *¿Diría Ud. que tenemos que saber relacionar diferentes materias para tener éxito en nuestras carreras?*

Sra Reyes: *¡Absolutamente! En mi puesto lo más importante es conseguir que todos trabajen en coordinación y a gusto. Mis estudios de psicología me han servido para esto.*

¡Conteste!

¿Siguió la Sra. Reyes el consejo de sus profesores?	No, no lo siguió.
¿Estudió psicología o historia?	Estudió psicología.
¿Además estudió Dirección de Empresas?	Sí, además estudió Dirección de Empresas.
¿Trabaja como psicóloga?	No, no trabaja como psicóloga.
¿Trabaja como directora de una empresa?	Sí, trabaja como directora de una empresa.
¿Ha tenido éxito en su carrera?	Sí, ha tenido éxito en su carrera.

¡Escuche!

Alumno: *Mirando atrás, ¿cambiaría algo?*

Sra Reyes: *No, realmente no. Pero ahora quiero mejorar mi inglés. Me ayudaría mucho porque mi empresa tiene cada vez más contacto con el extranjero.*

¡Ahora conteste!

¿Cambiaría algo en su carrera la Sra. Reyes?	No, no cambiaría nada.
¿Quiere mejorar su español?	No, no quiere mejorar su español.
¿Qué quiere mejorar?	Quiere mejorar su inglés.
¿Le ayudaría en su trabajo?	Sí, le ayudaría en su trabajo.

Bien. ¡Ahora escuche!

Alumno: *Finalmente, ¿qué consejos daría a los jóvenes de nuestro colegio antes de escoger una carrera?*

Sra Reyes: *Les aconsejaría estudiar algo que les interese sin olvidar las perspectivas de futuro.*

Alumno: *Muchas gracias, Sra. Reyes, por su tiempo.*

¡Conteste!

¿Le pide consejos el alumno a la Sra. Reyes?	Sí, le pide consejos.
¿Quiere saber qué hacer después de escoger una carrera?	No, no quiere saber qué hacer después de escoger una carrera.
Quiere saber qué hacer antes de escoger una carrera, ¿verdad?	Sí, quiere saber qué hacer antes de escoger una carrera.
¿Aconseja la Sra. Reyes que los jóvenes estudien algo que les interese?	Sí, aconseja que estudien algo que les interese.

¡Muy bien! ¡Ahora escuche el diálogo otra vez, y repita!

– *Sra. Reyes, cuando usted estudiaba en el liceo, ¿pensó alguna vez que podría ser directora de una empresa?*

– *¡No, nunca!*
A esa edad no sabía qué quería hacer en el futuro.
Pero estudiaba mucho para superar mis asignaturas
y poder elegir una buena profesión.

– *¿Le aconsejaron sus profesores qué carrera sería la mejor para usted?*

– *Me dijeron que debería estudiar algo de ciencias, por ejemplo matemáticas.*

– *¿Y qué estudió? ¿Siguió ese consejo?*

– *(Riéndose) Bueno, estudié psicología,*
pero después me interesé en temas económicos,
y al terminar hice una Maestría en Dirección de Empresas.

– *¿Diría Ud. que tenemos que saber relacionar diferentes materias para tener éxito en nuestras carreras?*

– *¡Absolutamente! En mi puesto lo más importante es conseguir que todos trabajen en coordinación y a gusto.*
Mis estudios de psicología me han servido para esto.

– *Mirando atrás, ¿cambiaría algo?*

– *No, realmente no.*
Pero ahora quiero mejorar mi inglés.
Me ayudaría mucho porque mi empresa tiene cada vez más contacto con el extranjero.

– *Finalmente, ¿qué consejos daría a los jóvenes de nuestro colegio antes de escoger una carrera?*

– *Les aconsejaría estudiar algo que les interese sin olvidar las perspectivas de futuro.*

– *Muchas gracias, Sra. Reyes, por su tiempo.*

¡Muy bien! Y nosotros también le damos las gracias a Ud. por su tiempo. Éste ha sido el final del capítulo 10. ¡Hasta pronto!

Capítulo 11

Manuel Salgado pasó una mañana de domingo en el mercado de antigüedades La Lagunilla. Allí se puede encontrar de todo: muebles viejos, ropa nueva o usada, discos, libros, etc. Manuel, que colecciona relojes antiguos, se paró delante de un puesto y le habló al vendedor. ¡Escuche!

Manuel: *¿Cuánto pide por este reloj?*
Vendedor: *1.000 pesos, señor. Es de los años 30.*

¡Conteste!

¿Se encuentra Manuel en un mercado de frutas?	No, no se encuentra en un mercado de frutas.
¿A qué tipo de mercado fue, de flores o de antigüedades?	Fue a un mercado de antigüedades.

¿Colecciona Manuel muebles antiguos?	No, no colecciona muebles antiguos.
¿Qué colecciona?	Colecciona relojes antiguos.
¿Vio algo que le interesaba?	Sí, vio algo que le interesaba.
¿Qué vio que le interesaba?	Vio un reloj que le interesaba.

¡Bien! ¡Escuche!

Vendedor: *1.000 pesos, señor. Es de los años 30.*

Manuel: *¿Qué me dice? ¿1.000 pesos? Este reloj no funciona. Si funcionara, quizás pagaría eso. Le doy 500 pesos.*

Vendedor: *¡Ni modo! ¿Está Ud. bromeando? ¡Es un reloj excepcional!*

¡Conteste!

¿Pide el vendedor 1.000 pesos por el reloj?	Sí, pide 1.000 pesos.
¿Quiere Manuel pagar ese precio?	No, no quiere pagar ese precio.
Le ofrece 500 pesos al vendedor, ¿verdad?	Sí, le ofrece 500 pesos.
¿Funciona el reloj?	No, no funciona.
¿Pagaría Manuel ese precio si el reloj funcionara?	Sí, pagaría ese precio si funcionara.
Perdón, ¿pagaría más si funcionara?	Sí, pagaría más si funcionara.

Muy bien. ¡Ahora escuche!

Vendedor: *¿Está Ud. bromeando? ¡Es un reloj excepcional! Si fuera a cualquier otro puesto pagaría el doble. ¡Por 900 pesos es suyo!*

Manuel: *¡Ni hablar! Además, no sé cuánto tendría que pagar por la reparación. Le ofrezco 700 pesos, nada más.*

¡Conteste!

¿Acepta el vendedor la oferta de Manuel?	No, no la acepta.
¿Pide el vendedor 90 o 900 pesos?	Pide 900 pesos.
¿Necesita reparación el reloj?	Sí, necesita reparación.
¿Tendría Manuel que pagar la reparación?	Sí, tendría que pagar la reparación.
Perdón, si comprara el reloj, ¿qué tendría que pagar?	Si comprara el reloj tendría que pagar la reparación.

Bien. ¡Escuche!

Manuel: *Le ofrezco 700 pesos, nada más.*

Vendedor: *No puedo aceptar menos de 800 pesos. Si lo hiciera, perdería dinero.*

Manuel: *800, hum ... Bueno, de acuerdo ... A ver, 600 ... 700 ... aquí tiene, 800 pesos.*

Vendedor: *¡800 pesos! Créame, es una ganga. Muchas gracias, señor.*

¡Conteste!

¿Acepta el vendedor menos de 800 pesos?	No, no acepta menos de 800 pesos.
Si aceptara, ¿ganaría o perdería dinero?	Si aceptara, perdería dinero.
¿Compra Manuel el reloj?	Sí, lo compra.

¡Muy bien! ¡Escuche!

"Fantástico", pensó Manuel, poniendo el reloj en un bolsillo de su pantalón. "Un reloj así costaría normalmente más de 1.400 pesos." Poco después se paró delante de un puesto donde una señorita estaba vendiendo billeteras. ¡Escuche!

Vendedora:	*¡Mire, señor, son estupendas! ¡Son de cuero, y sólo por 60 pesos!*
Manuel:	*¿Son de cuero? ¿De veras?*
Vendedora:	*Por supuesto ... todo de cuero.*
Manuel:	*Bueno ... Compraría una si fueran más baratas.*

¡Conteste!

¿Se paró Manuel delante de otro puesto?	Sí, se paró delante de otro puesto.
¿Estaba la señorita vendiendo relojes?	No, no estaba vendiendo relojes.
¿Qué estaba vendiendo?	Estaba vendiendo billeteras.
¿Cuánto pide por las billeteras, 30 o 60 pesos?	Pide 60 pesos.
¿Compraría Manuel una si fueran más caras?	No, no compraría una si fueran más caras.
Compraría una si fueran más baratas, ¿verdad?	Sí, compraría una si fueran más baratas.

Bien. ¡Escuche!

Manuel:	*... Compraría una si fueran más baratas. ¿Qué tal por 40?*
Vendedora:	*Hecho. 40 pesos. Aquí la tiene.*
Manuel:	*Muchas gracias.*

¡Conteste!

¿Quiso Manuel pagar lo que la vendedora pedía?	No, no quiso pagar lo que ella pedía.
¿Cuánto le ofreció? ¿40 o 60 pesos?	Le ofreció 40 pesos.
¿Aceptó la vendedora su oferta?	Sí, la aceptó.

Muy bien.

Manuel pagó y guardó la billetera. Después se paró delante de un vendedor de churros y le pidió tres. Cuando metió las manos en los bolsillos para sacar dinero sólo encontró ... el reloj antiguo ... y una billetera nueva vacía ...

¡Conteste!

¿Pidió Manuel algo de comer o de beber en otro puesto?	Pidió algo de comer en otro puesto.
¿Qué buscó en los bolsillos?	Buscó dinero en los bolsillos.
¿Qué encontró, un reloj antiguo?	Sí, encontró un reloj antiguo.
¿También encontró una billetera vacía?	Sí, también encontró una billetera vacía.
¿Aún le quedaba dinero?	No, ya no le quedaba dinero.
Lo había gastado todo, ¿verdad?	Sí, lo había gastado todo.

¡Muy bien! Ahora escuche todo el diálogo de nuevo. ¡Escuche y repita!

– *¿Cuánto pide por este reloj?*
– *1.000 pesos, señor. Es de los años 30.*
– *¿Qué me dice? ¿1.000 pesos?*
  Este reloj no funciona.
  Si funcionara, quizás pagaría eso.
  Le doy 500 pesos.
– *¡Ni modo! ¿Está Ud. bromeando?*
  ¡Es un reloj excepcional!
  Si fuera a cualquier otro puesto pagaría el doble.
  ¡Por 900 pesos es suyo!
– *¡Ni hablar!*
  Además, no sé cuánto tendría que pagar por la reparación.
  Le ofrezco 700 pesos, nada más.
– *No puedo aceptar menos de 800 pesos.*
  Si lo hiciera, perdería dinero.
– *800, hum … Bueno, de acuerdo …*
  A ver, 600 … 700 … aquí tiene, 800 pesos.
– *¡800 pesos! Créame, es una ganga.*
  Muchas gracias, señor.
– *¡Fantástico!*
  Un reloj así costaría normalmente más de 1.400 pesos.
– *¡Mire, señor, son estupendas!*
  ¡Son de cuero, y sólo por 60 pesos!
– *¿Son de cuero? ¿De veras?*
– *Por supuesto … todo de cuero.*
– *Bueno … Compraría una si fueran más baratas.*
  ¿Qué tal por 40?
– *Hecho. 40 pesos. Aquí la tiene.*
– *Muchas gracias.*

¡Muy bien! Éste ha sido el final del capítulo 11. ¡Muchas gracias y hasta luego!

Capítulo 12

Tomás Camejo, de Caracas, viaja mucho en avión por su trabajo. Gracias al programa de viajero frecuente recibió dos pasajes gratis para ir a España. Él y su esposa han decidido ir a Sevilla para conocer la Feria de Abril, y ahora están en el avión. Mientras la Sra. Camejo duerme, otro pasajero le habla al Sr. Camejo. ¡Escuche!

Pasajero: *¿De vacaciones, señor?*
Sr. Camejo: *Sí. Vamos a pasar siete noches en Sevilla.*
Pasajero: *¡Olé! Van a ver Uds. una de las maravillas del mundo.*

¡Conteste!

¿Hizo el Sr. Camejo reservas para ir a Madrid?	No, no hizo reservas para ir a Madrid.
¿Para dónde hizo reservas?	Hizo reservas para ir a Sevilla.
¿Viaja solo o con su esposa?	Viaja con su esposa.
¿Es un viaje de negocios?	No, no es un viaje de negocios.
Van de vacaciones, ¿verdad?	Sí, van de vacaciones.

Bien. ¡Ahora escuche!

Pasajero: *Van a ver Uds. una de las maravillas del mundo.*

Sr. Camejo: *Parece que le gusta bastante esa ciudad. ¿Es Ud. de Sevilla?*

Pasajero: *Sí, de Sevilla soy, del barrio de Triana, donde tiene lugar la Feria todos los años al lado del río Guadalquivir.*

Sr. Camejo: *Precisamente para allá es que vamos. He oído decir que es estupenda. ¿Es cierto?*

Pasajero: *¡Es fantástica!*

¡Conteste!

¿Es el pasajero con quien habla de Madrid o de Sevilla?	Es de Sevilla.
¿Es del barrio de Triana?	Sí, es del barrio de Triana.
Ese es el barrio donde tiene lugar la Feria, ¿verdad?	Sí, ese es el barrio donde tiene lugar la Feria.
¿Ha oído decir el Sr. Camejo que la Feria es aburrida?	No, no ha oído decir que es aburrida.
¿Ha oído decir que es estupenda, ¿verdad?	Sí, ha oído decir que es estupenda.

Bien. ¡Escuche!

Pasajero: *¡Es fantástica! Y después que la vea, nunca la olvidará. Verá gente de toda España, no solamente de Sevilla. Muchos se visten con trajes flamencos y cantan y bailan toda la noche.*

Sr. Camejo: *Ah, entonces, ¿se celebra solamente durante la noche?*

Pasajero: *No, ¡qué va! por el día también. Si Uds. quieren, por ejemplo, ver paseo de caballos, deberían ir por las mañanas.*

¡Conteste!

¿Es la Feria famosa sólo en Sevilla?	No, no es famosa sólo en Sevilla.
Es famosa en toda España, ¿verdad?	Sí, es famosa en toda España.
¿Se pueden ver allí trajes mexicanos o flamencos?	Se pueden ver trajes flamencos.
¿Se celebra la Feria sólamente durante la noche?	No, no se celebra sólamente durante la noche.
Hay otras actividades durante el día, ¿verdad?	Sí, hay otras actividades durante el día.

¿Para ver paseo de caballos, se debe ir por las tardes o por las mañanas? Para ver paseo de caballos se debe ir por las mañanas.

Bien. ¡Ahora escuche!

Sr. Camejo: *Y por las tardes, ¿qué se puede hacer?*

Pasajero: *Por las tardes no deben perderse las corridas de toros.*

Sr. Camejo: *Bueno, ¿qué otras cosas me recomienda?*

Pasajero: *Que pase por la puerta principal de la Feria. ¡Qué cosa tan bonita! Todos los años se pone allí la réplica de uno de los monumentos de la ciudad, como la Torre de la Giralda o la Plaza de España.*

Sr. Camejo: *¡Qué interesante!*

¡Conteste!

¿Toman lugar las corridas por las tardes? Sí, toman lugar por las tardes.

¿Recomienda algo más el pasajero? Sí, recomienda algo más.

¿Qué recomienda? Recomienda que vean la puerta principal de la Feria.

¿Se pone allí la réplica de una persona o de un monumento? Se pone la réplica de un monumento.

Ponen la réplica de un monumento de la ciudad, ¿verdad? Sí, ponen la réplica de un monumento de la ciudad.

Bien. ¡Escuche!

Sr. Camejo: *Tengo entendido que mañana es la inauguración de la Feria. ¿Cómo es?*

Pasajero: *¡Ésa es la mejor parte! ¡Una maravilla, ya verá! Es mañana a las 12 de la noche. Hasta esa hora las calles de la Feria tendrán las luces apagadas y, de repente, se encenderán.*

Sr. Camejo: *Vaya, parece que hay mucho que hacer y se descansa poco. Está bien que mi esposa duerma ahora.*

Pasajero: *Sí, que duerma ahora, pues luego no tendrá tiempo.*

¡Conteste!

¿Es la inauguración hoy o mañana? La inauguración es mañana.

¿Tiene lugar al mediodía o a la medianoche? Tiene lugar a la medianoche.

¿Qué pasa a la medianoche, se apagan o se encienden todas las luces? Se encienden todas las luces.

Según el pasajero, es una maravilla, ¿verdad? Sí, según el pasajero es una maravilla.

Muy bien. Ahora escuche todo el diálogo de nuevo. ¡Escuche y repita!

– *¿De vacaciones, señor?*
– *Sí. Vamos a pasar siete noches en Sevilla.*
– *¡Olé! Van a ver Uds. una de las maravillas del mundo.*
– *Parece que le gusta bastante esa ciudad.*
  ¿Es Ud. de Sevilla?

- *Sí, de Sevilla soy, del barrio de Triana,*
  donde tiene lugar la Feria todos los años al lado del río Guadalquivir.
- *Precisamente para allá es que vamos.*
  He oído decir que es estupenda. ¿Es cierto?
- *¡Es fantástica!*
  Y después que la vea, nunca la olvidará.
  Verá gente de toda España, no solamente de Sevilla.
  Muchos se visten con trajes flamencos
  y cantan y bailan toda la noche.
- *Ah, entonces, ¿se celebra solamente durante la noche?*
- *No, ¡qué va! por el día también.*
  Si Uds. quieren, por ejemplo, ver paseo de caballos,
  deberían ir por las mañanas.
- *Y por las tardes, ¿qué se puede hacer?*
- *Por las tardes no deben perderse las corridas de toros.*
- *Bueno, ¿qué otras cosas me recomienda?*
- *Que pase por la puerta principal de la Feria.*
  ¡Qué cosa tan bonita!
  Todos los años se pone allí la réplica de uno de los monumentos de la ciudad,
  como la Torre de la Giralda o la Plaza de España.
- *¡Qué interesante!*
  Tengo entendido que mañana es la inauguración de la Feria. ¿Cómo es?
- *¡Ésa es la mejor parte!*
  ¡Una maravilla, ya verá!
  Es mañana a las 12 de la noche.
  Hasta esa hora las calles de la Feria tendrán las luces apagadas
  y, de repente, se encenderán.
- *Vaya, parece que hay mucho que hacer y se descansa poco.*
  Está bien que mi esposa duerma ahora.
- *Sí, que duerma ahora, pues luego no tendrá tiempo.*

Muy bien. Éste es el final del capítulo 12, y también el final de este programa.
¡Esperamos que lo hayan pasado bien!